LA CONFÉRENCE INACHEVÉE
de Jacques Ferron
est le deux cent vingt et unième ouvrage
publié chez
VLB ÉDITEUR.

LA CONFÉRENCE INACHEVÉE

Jacques Ferron
La conférence inachevée

Le pas de Gamelin
et autres récits
Préface de Pierre Vadeboncoeur

Édition préparée par
Pierre Cantin, Marie Ferron et Paul Lewis

vlb éditeur

VLB ÉDITEUR
4665, rue Berri
Montréal, Québec
H2J 2R6
Tél.: (514) 524.2019

Maquette de la couverture:
Mario Leclerc

Photo:
Michel Dubreuil

Photocomposition:
Atelier LHR

Distribution en librairies et dans les tabagies:
AGENCE DE DISTRIBUTION POPULAIRE
955, rue Amherst
Montréal, Québec
H2L 3K4
Tél. à Montréal: 523.1182
        de l'extérieur: 1.800.361.4806

Données de catalogage avant publication (Canada)

Ferron, Jacques, 1921-1985
    La conférence inachevée
    2-89005-250-8
    I. Titre.

PS8511.E76P37 1987   C843'.54   C87-096070-9
PS9511.E76P37 1987
PQ3919.2.F47P37 1987

Dépôt légal — 2e trimestre 1987
Bibliothèque nationale du Québec
ISBN 2-89005-250-8

Préface

« **D**epuis quelque temps, le soleil est si beau que les jours fondent comme la neige», m'écrivait Jacques Ferron le 2 mars 1946. Nous ne nous sommes guère connus qu'à distance. Au collège, il venait un an après moi. Il gardait, il a toujours gardé une grande réserve, une certaine impénétrabilité, imprécise à mes yeux quant à son sens: timidité? orgueil? empire du rêve dans sa réalité quotidienne? aristocratie naturelle? Sa sensibilité d'artiste envahissait-elle tout, chez lui, y compris son moi de tous les jours, le faisant vivre dans un monde à part qui fût mêlé de la plus étrange façon au monde concret?

Pour moi — et sans doute pour beaucoup de gens — Ferron est demeuré quelqu'un d'un peu mythique, et ce n'était pas une simple idée de notre part. Il était mythique, je crois, il avait quelque chose d'irréel, il était une de ces personnes dont l'adhésion au réel est vécue de façon singulière, comme c'est le fait de bien des rêveurs. Artiste, poète, jusqu'assez profondément dans son personnage de tous les jours. Non par pose mais véritablement, bien qu'un peu par pose aussi, mais alors peut-être par défense contre l'extérieur, ou parce que la vie ordinaire, les gestes, les gens, le travail, les attitudes, formaient pour lui, sans qu'il le veuille, mais sans qu'il le refuse, dans la réalité même, une matière d'art.

Quoi qu'il en soit, les plus lointaines images que je garde de lui sont effectivement celles d'un artiste, bien visible, bien repérable comme tel, déambulant avec un certain dédain juvénile de mécréant ou d'aristocrate à la chapelle ou dans les corridors du collège Brébeuf, où il *était pensionnaire. Sa réputation naissante, dans ce petit milieu, le précédait déjà. Son port de tête, son sourire à la fois sensible et narquois, qu'il a toujours eu, le distinguaient tout à fait. C'était avant la guerre. Il devait avoir dix-sept ou dix-huit ans. Il publiait de courts morceaux dans le journal des élèves, et surtout il me fit lire de lui un jour un poème à l'ancienne, fidèle par la forme, la tendresse et l'élégance au style des salons du XVIIIᵉ siècle, selon mon idée. Je jugeai que je venais de lire une merveille. C'en était peut-être une. Ce poème, je le lui ai redemandé beaucoup plus tard, mais il ne s'en souvenait plus. J'avais été extraordinairement frappé par la grâce, par le charme et par les dons révélés par ces vers: une finesse absolument remarquable, une aisance subtile, désinvolte, délicieuse. C'est l'impression que j'en ai conservée. Cela pouvait faire penser également aux travaux de Proust d'avant la Recherche, par la vérité dans le traitement des formes et d'un esprit anciens. Mais je ne connaissais pas encore Proust, et d'ailleurs il s'agissait d'une poésie en vers réguliers. Le Père Robert Bernier, dont Ferron a parlé dans son œuvre, me disait de lui que ce qu'il écrivait dans sa classe était sans commune mesure avec ce que faisaient les autres. J'en étais persuadé. Je me penchais moi-même sur les textes de Jacques avec la curiosité précise d'un apprenti, ou comme un musicien lit une partition et regarde comment c'est fait, pour apprendre. Je m'en rendais compte: j'avais affaire à ce qui s'appelle une écriture.*

C'était beau, selon mon souvenir, comme ce qu'il y a de meilleur, par la frappe, dans la littérature française. Telle cette phrase citée plus haut. Si je me fie à mes impressions d'alors, on ne discernait rien qui aurait pu trahir un commencement chez ce très jeune écrivain. Pour l'efficacité et le style, du moins, tout lui semblait donné dès le départ. Il avait saisi d'emblée, par lui-même, ce que c'est que la qualité littéraire, grâce à une divination et une sûreté étonnantes. Nous, nous apprenions de lui, mais lui, il ne semblait avoir appris d'aucun. Précoce maîtrise. Il l'avait acquise en partie par ses lectures, sans doute, qui lui permettaient de formuler aussi des jugements bien articulés sur la littérature ou l'art, comme ceci, qui rappelle évidemment Valéry et que je trouve dans une lettre du 28 juillet 1941: «Cette folie est commune à tous nos jeunes poètes, et on l'appelle inspiration. Quand on fera des poèmes comme on fait un parapluie, on ne trouvera pas de plus beaux vers, mais on saura les composer et cela seul importe.»

Comment parler de Jacques Ferron et de son œuvre dans quelques pages? C'est impossible, même en effleurant le sujet. Je voudrais parler de tout. J'essaierai de le faire indirectement, en considérant son écriture, qui m'a toujours intrigué.

L'art de Ferron n'a jamais cessé d'être en premier lieu une écriture, et ce dès les premières années. Au collège, d'ailleurs, l'écriture, en art, était considérée comme suprêmement importante. L'écriture d'abord: c'est ce que nous pensions tous. La qualité de la langue. Valeur première. Ceci tenait à la formation que nous recevions avec le latin, le grec et l'analyse méticuleuse des textes. Ce n'était pas tout à fait comme aujourd'hui. Mais c'est aussi que la primauté de l'écriture, du style, dans la littérature française, d'une si forte tradition, et surtout d'un prestige alors si considérable, s'imposait à quiconque voulait devenir écrivain. D'autant que le français, au Québec, oblige à une attention laborieuse que ne connaissent pas au même degré les Français.

Ferron, loin d'échapper à cette influence générale, se l'est au contraire assimilée plus vite et plus naturellement que n'importe qui. Tout de suite, il est devenu un écrivain véritable, faisant à peu près ce qu'il voulait avec la langue. On s'en aperçoit dans sa correspondance de vingt ans. On y voit, par des négligences, par quelques ratures, qu'il ne travaille pas ses lettres, qu'il les écrit d'abondance, sans effort, tout en leur gardant une qualité stylistique indéniable, dont il était d'ailleurs conscient, je crois. Trente-cinq ans plus tard, en 1977, je retrouverais toujours cette écriture légère, rapide, souple, un peu négligée, vraiment belle, non encore passée par l'imprimé, dans des articles que je lui avais demandés pour l'hebdomadaire Le Jour et qu'il rédigeait à la main sans les transcrire à la machine, tout comme ses lettres d'autrefois.

Des siècles sont dans le style de Ferron, particulièrement le XVIIIe. Cela déborde le style, s'étend à la manière, à l'esprit, et fait de lui, artiste, romancier, conteur, écrivain qui a pratiqué plusieurs genres, aussi un moraliste. Il parsème ses textes de maximes, d'observations, de malices, souvent empreintes d'une tristesse foncière mais effacée par la politesse et par une sorte d'honneur. On s'en rendra compte dans ce livre. Mais c'était déjà dans ses lettres du début. «Il n'y a personne qui soit digne d'être estimé si ce n'est ceux que l'on imagine», m'écrivait-il le 12 février 1942, avec une sagesse déjà habituelle chez lui, sagesse qui recouvrait mal la mélancolie qu'il me paraît avoir toujours ressentie dans ce monde et répandue dans ses œuvres, malgré le masque.

Je vais me risquer beaucoup en essayant de tirer au clair l'impression principale que me laisse depuis lors l'écriture de Ferron. Je ne parle pas des qualités évidentes, nombreuses, éclat, finesse, maîtrise, facilité et souplesse en même temps que rigueur et classicisme. Je parle de quelque chose d'autre, de plus lointain, de plus caché, quoique de moins certain. Le style de Ferron suit aisément n'importe quelle inflexion du sens ou de l'émotion, mais à une certaine hauteur. C'est une écriture appuyée sur trois siècles. On dirait que, si actuelle qu'elle soit, ces siècles de connaissance littéraire, en la soutenant, la maintiennent en même temps, par rapport à ce qu'elle exprime, dans *une situation supérieure à cela même. Elle n'a rien abandonné de sa complexité syntaxique, ni aucun de ses titres. Ce n'est donc pas une écriture de l'immédiat. Elle domine celui-ci. Elle le porte dans un autre ordre. Par ce côté-là, elle est assez étrangère à l'objet des récits dont elle est l'instrument et elle nous entretient d'autre chose. Si sensible qu'elle soit, elle a aussi, de manière concomitante, quelque chose d'imperturbable, de non commis avec les contingences. Par cette indépendance ou altitude, elle est d'un univers différent de celui du quotidien qui lui sert de sujet. Elle exprime directement ainsi un autre drame que les malheurs, tristesses ou tristes bonheurs immédiats dont il est question dans l'œuvre. Elle ne se situe pas entièrement au niveau de l'histoire racontée par l'auteur. Elle la transcende. J'ai mentionné un masque. Un certain caractère d'impassibilité apparente, sur le fond des tristesses tout humaines dont l'auteur parle dans ses récits comme le médecin compatissant qu'il était, fait pour elles un accompagnement d'une autre nature et comme l'expression d'un commentaire plus intemporel, littéraire dans la force du terme, et finalement tragique en son fond, comme toute littérature digne de ce nom.*

Le point de vue de l'auteur dépasse le contingent, ce qui ne veut pas dire qu'il s'en évade. Ferron n'est pas indifférent envers ses personnages. Au contraire, il aime d'évidence les petites gens qu'il raconte. S'il y a distance, ce n'est pas celle de l'indifférence mais celle des choses du destin. Le style, mais aussi l'attitude et la pensée, chez Ferron, se rapportent à un drame appartenant aussi à un autre ordre de grandeur.

Le malheur commun et quotidien du monde, qui a la profondeur de ces lointains et qui donc n'existe pas séparément en bas tandis qu'un ciel de bonheur ou de malheur existerait séparément en haut, est en continuité avec ce qui le surplombe et participe au même sacrement. La tragédie grecque, si proche de l'humilité comme du divin, ne faisait pas la différence. Semblablement (si l'on peut sans trop d'excès faire cette comparaison avec les grands tragiques) l'écriture de Ferron, littérairement racée, appartenant par son origine et son savoir à une élévation, touche en même temps au malheur le plus modeste, sans aucunement l'abaisser par contraste, au contraire. Ferron, auprès de ses modestes personnages, est du côté de leur dignité. Ici se retrouve d'ailleurs, autrement, ce qui est déjà dans la personnalité de l'auteur, esprit aristocratique, médecin populaire, ces deux aspects se répondant l'un l'autre avec une belle justesse.

Mais cette écriture se distingue d'une autre façon également, paradoxale, vu ce que je viens d'expliquer. Par sa forme, elle diffère certes de la trivialité de l'existence même malheureuse, mais elle se tient aussi à distance par rapport au tragique. Une distance stylistique, une distance esthétique, une pudeur, une distinction native, donnent en effet à ce style l'air de ne pas toucher non plus à l'essentiel, ou d'y toucher avec élévation, ce qui ne signifie pas avec une profondeur moindre. Il le souligne doublement de la sorte, il l'accuse, précisément par une parfaite correction d'attitude à son endroit. Le docteur Ferron n'appuie pas sur le malheur de la mort, son écriture classique le lui défend, sa propre nature aussi, mais c'est ce qui se remarque. Par conséquent, c'est ce qui contribue à montrer la présence insistante de la mort dans son œuvre. J'y sens en tant d'endroits la désolation, mais une désolation à laquelle il ne cède pas.

La mort, dans cette œuvre, est figurée par le destin, par un destin dont l'œuvre parle surtout en se tournant vers le silence ou vers le chant. Cela, chez Ferron, est assuré par une écriture proche de la cérémonie, comme ses modèles, malgré son abondance, malgré ses inventions et souvent sa luxuriance. Cette tenue devant la mort ressemble du reste à certaines attitudes caractéristiques du médecin de la Rive-Sud devant le malheur: sa commisération, sa très réelle commisération, dont on sent bien la discrétion, à ce niveau simplement humain, dans ses récits.

Il est un écrivain tragique, inquiétant, et parfois même funéraire. Maints récits de lui sont accompagnés secrètement par la mort; au fond, ils commencent par elle. Il y a du savoir de médecin là-dedans. Un certain détachement, accusé davantage par ce style mais présent aussi psychologiquement chez l'auteur il me semble, n'est pas chez lui réellement du détachement, il s'en faut, mais bien plutôt le ton d'une pensée grave et stoïque sur la mort, sur la condition humaine déterminée par elle et par tout ce qui lui ressemble, dont la démence. Non seulement le médecin, mais l'homme, m'a toujours paru occupé par la considération d'un tel destin. Cependant, dans ses livres, le tragique se révèle moins dans des situations ou dans des dénouements que dans une atmosphère; moins dans les actes, moins dans l'événement, et davantage dans ce qui est suspendu sur un monde. Il me paraît évident que cette image, que je retrouve un peu partout dans son œuvre, n'est pas seulement un fait de littérature, mais qu'elle constitue en partie le paysage de l'âme même de Ferron.

Lui-même, dans la vie, pour une personne comme moi qui n'étais pas très proche de lui et qu'il avait le don de tenir à une certaine distance en rendant malaisée son approche, je le sentais en effet retranché parmi les images d'une sensibilité qui évoquait pour moi la sensibilité amère de Baudelaire. Ici s'impose l'idée de masque encore. Le sourire de Ferron, moqueur, mobile, redoutable, sous son regard extraordinairement expressif de poète, tout le monde l'a connu: c'était un masque et ce n'en était pas un, et, sous ce masque, il y avait, je pense, la tristesse d'en savoir trop sur le malheur humain, sans véritable espérance, ni pour lui-même, ni pour les autres. Car il pensait aux autres.

Nous nous écrivions, rarement, une fois de temps à autre, dans les dernières années, des lettres dont il y aurait peu à citer, sinon, chez lui, une manière de se garder à grande distance du cœur. Un jour, j'ai eu le sentiment qu'il se sentait très seul, ayant toujours été isolé, j'imaginais, à cause de je ne sais quelle claustration, que j'inventais peut-être. Ce jour-là, je lui ai écrit une lettre qui lui parlait de cette solitude. Mais je ne l'ai pas envoyée, je l'ai détruite. Je ne pourrais pas aujourd'hui préciser pourquoi. C'est probablement que le geste aurait été inutile, ou bien que Jacques l'aurait écarté avec un mélange d'ambiguïté ironique et de déplaisir.

Ferron, poète, artiste, né pour la joie comme le sont tous les artistes, portait sur l'existence humaine et sur un possible néant métaphysique un regard étrangement saisi par ce que j'interprète comme de l'étonnement, de la fierté et du refus, mais du regret aussi. Ses maximes, sa sagesse, ne seront que l'envers de ce refus, acceptation de ce qui est, résignée et défiante. D'où, dès le collège, à mon sens, cette figure supérieure, qui nous mettait dans une certaine perplexité à son endroit, insaisissable qu'il était, souriant vers ce qui n'est pas le bonheur; et d'où également trop de sagesse, de sentences d'homme fait et comme pleines d'une trop longue expérience qu'il ne possédait sans doute pas encore, chez ce garçon qui aurait pu être encore presque un enfant.

Mais il a aimé l'enfance. Elle lui représentait sûrement l'envers de sa vision du monde. On le verra dans ce livre, dans un charmant récit à propos d'un écolier qui ne serait autre que Jacques lui-même. C'est l'enfance que je préfère dans l'œuvre de Ferron. Quand il parle de l'enfance, il se libère. Même son écriture s'en ressent, je l'ai remarqué une fois: elle devenait encore plus remplie d'images et de beautés, plus riche de vocabulaire, et davantage un jardin, dans l'Amélanchier. Ce roman ou récit, dès sa parution, m'est apparu comme une splendeur et je lui ai écrit aussitôt pour le lui dire. J'avais de plus l'impression qu'il s'était affranchi littérairement d'une tentation permanente, chez lui, le XVIIIe siècle, justement. Le XVIIIe siècle de l'écrit, non celui de la musique. Devant la beauté d'une écriture qui là ne connaissait plus la moindre difficulté mais au contraire s'égalait plus que jamais à la sensibilité la plus riche et la plus aimable, je lui écrivis qu'ayant terminé son livre et le hasard ayant voulu que j'entende tout de suite après une symphonie de Mozart, je n'avais senti aucune différence de degré entre les deux, aucune infériorité, aucune supériorité. J'étais comblé, le mot n'est pas trop fort, par l'un et l'autre, de la même façon. Je répétai à peu près ces propos, fin 78, dans un livre. En réponse, le 1er février 1979, dans une lettre, voulant replacer modestement tout cela dans un contexte familier qu'aucun auteur sincère ne quitte vraiment, il me dit de son livre, en coupant court: «Ce n'est que l'adieu que j'ai adressé à mes enfants.»

La grâce explique le bonheur qu'il y a dans l'œuvre de Ferron et aussi son art, mais il y a «le mauvais côté des choses», qu'il oublie rarement et qu'il est allé jusqu'à mettre pour une part dans l'Amélanchier. Ce côté ressort dans nombre de récits que vous allez lire ici, dont le premier, qui est superbe. Dans celui-ci, sorte de synthèse de l'art ferronien, il y a le médecin, humain, humble, d'une tendresse certaine, et appui pour la grande faiblesse des gens, épris de justice pour eux, et d'autre part l'artiste, plein d'invention, de royauté d'un autre ordre, et néanmoins attentif à ce qui l'émeut. Ce proche et ce lointain, dans des mesures souvent très variables, sont tout Jacques Ferron, aussi bien l'homme que l'écrivain.

PIERRE VADEBONCŒUR
Janvier 1987

LA CONFÉRENCE INACHEVÉE

Le pas de Gamelin

I

Saint-Jean-de-Dieu, haut lieu de la folie, portait deux autres noms, complémentaires, Gamelin qui désignait la municipalité que l'asile formait à lui seul, et Longue-Pointe qui indiquait son emplacement sur l'île de Montréal, près du site de l'ancien parc Dominion, entre les raffineries nauséabondes et le village de Pointe-aux-Trembles. Il correspondait à Saint-Michel-Archange, nanti de même de deux autres noms, Mastaï et Beauport, près de Québec, qui jouissait comme lui d'une certaine extraterritorialité à la manière de Monaco, principauté du jeu en France.

Notre pays s'est longtemps dédoublé. Il en reste Berthier-en-haut et Berthier-en-bas. Il y avait naguère Rivière-du-Loup-en-haut, devenu Louiseville où je suis né, et près de Québec, un deuxième Pointe-aux-Trembles, aujourd'hui Saint-Augustin. Les deux hauts lieux de la folie (ou principautés) se balançaient dans cette symétrie et faisaient partie de notre tout premier vocabulaire. On tenait à rester dans les normes, responsable de soi, de ses faits et gestes, de même que de la convenance de son discours. Autrement on aurait eu l'air d'un échappé de Longue-Pointe ou de Beauport ou encore d'être mûr pour Gamelin ou Mastaï, et l'on n'y tenait guère. Ainsi donc ces deux hauts lieux étaient-ils des phares, garants d'une sagesse élémentaire qui consiste à n'être point fou, du moins à n'en rien laisser paraître. J'ai appris leur existence avant celle de Montréal et de Québec, car les exigences de la raison l'emportaient dans le pays restreint de mon enfance sur celles d'avoir une grande métropole ou une fière capitale.

Le Bourget dressait son péristyle corinthien en avant de Saint-Jean-de-Dieu. Il ne faisait pas partie du vieil asile. Il en était le palais gouvernemental. N'allait-il pas de soi que la folie ne fût pas sa propre administratrice? Il avait remplacé l'avenue qui partait de la rue Notre-Dame et rendait si long à franchir le pas de Gamelin, et les grilles avaient été rapprochées de la rue Notre-Dame à la rue Hochelaga. Ce palais, de construction assez récente, marquait en plus abrupt le même pas, raccourci, certes, mais toujours aussi difficile à franchir.

Madame la Directrice générale, mairesse de la municipalité sur laquelle l'extraterritorialité du haut lieu se fondait, avait son bureau au rez-de-chaussée, et Monsieur le Surintendant médical le sien, moins vaste, à l'étage. Ce Monsieur, commissaire de l'État, détenait en principe toute autorité mais, en fait, n'exerçait qu'une surveillance sanitaire, tel un agronome sur l'agriculture d'un comté, roturier dans une charge élective, non héréditaire, qui ne lui conférait aucune noblesse, tandis que Madame la Directrice générale, une Sœur de la Providence qui succédait à une Sœur de la Providence, appartenait à une communauté puissante, non soumise à l'épiscopat, laquelle régnait sur un empire de deux cent quarante maisons distribuées d'un océan à l'autre, par tout le Canada et même aux États-Unis dans certaines régions conquises, tel l'Oregon, et qu'on pouvait assimiler à une famille noble et féodale. Cette grande dame détenait tous les pouvoirs qui faisaient la force de la principauté, comme si la folie eût relevé de la puissance féminine, et le Surintendant, bon mâle et brave dindon, ceux qui la diminuaient.

Dans ce partage il y avait quand même antagonisme et le plus démuni en apparence, le Surintendant, finira par l'emporter. Aujourd'hui la principauté a été détruite, rattachée à un État unitaire, un peu comme si la France s'était emparée de Monaco. Elle y a perdu, en même temps que Saint-Michel-Archange, les trois noms qui faisaient sa renommée. La sagesse s'est obscurcie et la folie court dorénavant partout dans la nuit. «Les hommes sont si nécessairement fous, a écrit Blaise Pascal, que ce serait être fou par un autre tour de folie que de ne pas être fou.»

Dans les deux principautés, elle avait été domestiquée au service de la raison. Ce fut vraiment un autre tour de folie, et un fameux, que de la débaucher! Déjà en 1970, on pouvait prévoir cette catastrophe. Les Religieuses connaissaient même le nom du futur commissaire politique qui, au lieu d'être un Surintendant débonnaire comme ses prédécesseurs, allait les priver de toute autorité et les retourner à leur maison-mère. Elles avaient deviné ses mauvaises intentions sous l'idée saugrenue qu'il affichait de guérir la folie comme toute autre maladie, alors que, tout jeune psychiatre, il était à leur service; elles l'avaient renvoyé avec indignation: «Mes Sœurs, gardons-nous de nourrir dans notre sein un nouveau docteur Bethune!» En début des années trente, le chirurgien des armées de Mao avait en effet exercé son art dans leur hôpital du Sacré-Cœur.

Le jeune psychiatre se garda bien d'aller mourir en Chine. Il resta au pays et se fit les dents et les griffes dans un autre poste, à Sainte-Justine, puis, porté par la conjoncture, revint en force et chassa qui l'avait chassé. La révolution, dite psychiatrique, amorcée dès 1968 au Mont-Providence qui, banalisé, devint alors l'Hôpital Rivière-des-Prairies, s'acheva peu de temps après mon passage à Saint-Jean-de-Dieu en 1970-71, de sorte que tout ce que j'écrirai dans cet ouvrage sur une principauté abolie, une époque révolue, s'est détaché de la réalité, vidé de l'intérieur, et ne subsiste qu'en apparence, telle la tour du château d'eau, qui, de mon temps déjà, se dressait à droite du Bourget, un peu en retrait, et ne servait à rien, qui peut-être (parce que le puits foncé à deux mille pieds, vers 1910, ne fournissait pas suffisamment d'eau) n'avait jamais servi, monument insigne de la folie.

Il en était de même, à gauche, pour l'«Entrée des artistes» dont l'enseigne lumineuse appelait en vain à la déclamation et au théâtre dans ces lieux déjà saturés d'artifices, de délires et de faux-fuyants. Fussent-ils venus, les artistes, comédiens et poètes, qu'ils n'eussent rien eu à ajouter à ces trois vers de l'Iphigénie de Racine:

Hélas! je me consume en impuissants efforts
Et rentre au trouble affreux dont à peine je sors.
Mourrai-je tant de fois sans sortir de la vie?

Les voitures de police et les ambulances, survenant à toute vitesse, à folle allure, se dirigeaient de l'autre côté, vers l'«Admission», dont l'enseigne lumineuse, en avant de la grosse tour, faisait pendant à cette «Entrée des Artistes», superfétatoire, quasiment drôle si elle n'eût été pathétique.

En plus des deux puissances antagonistes, Madame la Directrice générale et Monsieur le Surintendant médical, le Bourget, capitale de la principauté de Saint-Jean-de-Dieu, logeait la procure, les archives, la bibliothèque où les livres anciens étaient français, les plus récents américains, le bureau de poste tenu par une Religieuse, d'où partait tout le courrier, estampillé Gamelin, la pharmacie, les laboratoires et le grand tableau des présences où, chaque matin, le médecin qui entrait, venait illuminer son nom, qu'il éteindra avant de partir. Il comprenait enfin l'Unité médico-chirurgicale et la suite des aumôniers.

L'Unité médico-chirurgicale, au dernier étage de l'édifice, avec son bloc opératoire, ses salles d'examen pour toutes les spécialités de la médecine à l'exception de la psychiatrie, ses chambres pour grands malades, ses deux dortoirs pour les cas bénins et les convalescences, les salles Saint-Léon et Sainte-Marguerite, était l'hôpital de l'asile. On y soignait la pneumonie du mongolien, opérait l'occlusion intestinale médicamenteuse de la psychopathe. C'est là qu'en principe on devait mourir. Il arrivait néanmoins qu'on le fît dans les arrières du Bourget comme il en advient aux gens normaux qui meurent chez eux ou dans la rue, ce qui complique toujours les procédures de l'enterrement: pour les fins et pour les fous il n'y a plus guère de mort acceptable que la mort médicale, ce triomphe de l'art, laquelle ne peut avoir lieu qu'à l'hôpital. Le fait d'avoir mis cette Unité terminale dans l'édifice administratif, en dehors de l'asile, signifiait qu'une maladie organique entraînait une rémission de la folie et la mort sa guérison. La médecine, vague et erratique dans l'asile, reprenait son autorité, retrouvait prestige et gloire au dernier étage du Bourget. C'était son Olympe.

Dans ce très-haut, les médecins se croyaient redevenus les demi-dieux qu'ils avaient été à l'origine, dans les temps immémoriaux, sauf qu'ils n'étaient plus, comme ceux-ci, débonnaires et bienfaisants, fâchés de n'être pas des dieux complets, car c'était par la moitié manquante que la folie leur échappait; dévots d'eux-mêmes, avec la foi féroce des inquisiteurs, ils auraient voulu qu'elle leur appartînt toute entière... Qu'on l'exerce ou qu'on la subisse, on se méprend sur la médecine. Elle a perdu son caractère religieux et ne tire pas son principe de la vie, mais de la lésion cadavérique. C'est toujours de la mort qu'elle revient à l'épouvante et de son inévitable échec qu'elle entend le prévenir comme gardienne de la santé, ce salut illusoire, en tout cas très provisoire. Ainsi a-t-elle établi son pouvoir, y veillant avec un soin jaloux et cherchant à l'étendre, quitte à réduire la folie à des perturbations bio-chimiques, à des crises convulsives et, pour finir, à une lésion organique, confirmée à l'autopsie, comme les autres maladies. Or, ces perturbations, ces crises, les psychia-tres à l'œuvre dans l'ici-bas de l'asile les suscitaient par des médications énormes et les électrochocs, tandis que dans leur très-haut les demi-dieux complétaient le travestisse-ment en s'essayant à la psychochirurgie dont les opéra-tions mutilantes sanctionnaient d'une lésion, désormais définitive, leur pouvoir. Telle était la tentative de la méde-cine pour récupérer la folie en la reproduisant par artifice, au mépris de toute humanité. Elle ne réussissait guère (et ne réussira jamais) qu'à lui ajouter un donjon, l'étage même qui, au Bourget, tenait lieu d'Olympe à de sinistres demi-dieux.

La suite des aumôniers, au deuxième étage, démon-trait que les prêtres étaient autant que nous, médecins-imposteurs, des professionnels de la folie, dûment recon-nus et appointés. Leurs fonctions n'en restaient pas moins mystérieuses. Simples aumôniers ou exorcistes? Je ne saurais répondre. J'en rencontrais un assez souvent dans mes salles (qui pouvaient tout aussi bien être les siennes), un Croate, peut-être un Slovène ou un Hongrois — je n'ai jamais osé lui demander: toutes nos politesses ne ser-vaient qu'à nous éviter. Il ne portait plus la soutane, mais gardait le collet, facile à identifier, sans cette honte qui incitait déjà sa confrérie, en 1970, à se déguiser en laïc. Il était sûr de lui, du moins en apparence, très actif, tou-jours pressé. Rien ne l'empêchait de se risquer contre Satan avec une pincée de sel et quelques mots latins. S'il y avait une place où Satan eût dû se manifester, c'est à Saint-Jean-de-Dieu, non que la folie lui appartienne mais parce qu'il est le prince des illusions, qu'il sort la tête par le trou de l'identité perdue et fait luire de ses faux brillants la conscience éclatée, tel un miroir brisé. Le Diable d'ailleurs se défendait, l'aumônier le savait et restait sur ses gardes. Il redoutait surtout Hélène Brazeau dont le démon pervers avait déjà couvert de honte un de ses collègues trop candide, qui, lui, ne venait pas des vieux pays, et avait dû quitter Saint-Jean-de-Dieu. Ainsi quand Hélène, la tête haute, le cou balafré, les yeux à demi clos, l'air de ne rien voir et ne perdant rien de vue, après s'être faufilée jusqu'à lui, disait soudain de sa voix enfantine: «Mon père, je voudrais me confesser», il faisait un bond de chèvre et se sauvait en criant: «Non, pas toi! pas toi!»

Il y avait peu de temps qu'Hélène n'était plus attachée à son banc de travail en la salle Sainte-Rosalie. Il se demanda peut-être si je ne l'avais pas lâchée contre lui, du moins j'en aurai l'impression car dès lors il me salua de plus en plus loin avec de grands gestes qui diminuaient à mesure que nous nous rapprochions et finissaient par une simple inclinaison de tête, un petit bonjour vite jeté quand nous nous croisions. Illusion de sa part? de la mienne? En tout cas le Diable devait rire en sourdine au milieu de chuchotements divers, croates, slovènes ou hongrois, quand il assistait à notre rencontre dans les passages lambrissés d'un bois doré et sonore du pavillon Sainte-Marie, chacun portant sa livrée, lui en noir, moi en blanc.

II

Chaque matin, avec une hâte déraisonnable, quelque peu folle, je m'amenais à Saint-Jean-de-Dieu tôt, très tôt, avant la fin du service de nuit, et ce sera, durant seize mois, toujours selon le même rituel obsessif que je franchirai le pas de Gamelin, à la faveur de l'obscurité ou dans la pâleur spectrale du petit jour. Avant d'aller rejoindre mes quartiers, je m'arrêtais au Bourget dont le péristyle corinthien se dressait à la devanture des lieux, flanqué de ses deux enseignes, l'«Admission» à droite, du côté des hommes, et l'«Entrée des Artistes» à gauche, du côté des femmes, l'une et l'autre annoncées en lettre rouges sur un petit caisson de verre blanc illuminé de l'intérieur, au bout d'un poteau, et qui se faisaient pendant comme si elles eussent eu la même importance, hypothèse trompeuse: les artistes en délire ou pleins d'une fureur muette étaient toujours détournés vers le mauvais côté.

Je passais sous le péristyle, entrais dans le Bourget désert et par l'escalier monumental montais afficher ma présence au grand tableau des médecins, près du bureau du Surintendant, changer de vêtements, ôter manteau et veston pour revêtir ma livrée, un long sarrau en coton blanc, mon nom épinglé au revers gauche du col, puis je revenais sur mes pas, descendais dans le grand hall au milieu duquel, dans un enclos circulaire, se tenait un gardien imperturbable, et sortais reprendre mon auto dont j'avais laissé le moteur en marche et la radio ouverte aux dernières rengaines de la nuit. Je fermais le poste et, passant près de l'«Entrée des Artistes», roulais doucement, presque sans bruit, par le chemin de circuit qui contourne l'asile, vers les arrières anciens et cachés du conglomérat d'une cité multiple où par usurpation je m'étais taillé un domaine de sept salles du côté des femmes, dans le pavillon (ou l'aile) Sainte-Marie qui répondait à l'aile du pavillon Saint-Joseph, du côté des hommes, domaine précaire que j'étais toujours menacé de perdre — d'où me venait peut-être cette hâte d'en reprendre possession, chaque matin.

À vrai dire, je ne me comprenais plus. Jusque-là j'avais eu le bonheur de n'exercer aucune autorité, plus sensible aux méfaits que comporte un tel exercice qu'à ses bienfaits et assez astucieux pour en accuser le contraste avec le pouvoir utopique de l'écriture, autoritaire sans le paraître dans sa bénignité. Or, par un singulier renversement, voilà que de toutes les autorités j'exerçais la plus équivoque dans un asile qui se doublait d'une maison de force et que j'y prenais plaisir. Au libertaire, un tyran avait-il succédé? Ou bien ne continuait-il pas sa lutte contre l'autorité par celle qui lui était échue pour quelque temps? Je n'en voulais rien savoir, incertain de moi-même, redoutant de m'illusionner dans le mélange et la contradiction.

Je laissais mon auto dans les jardins de Lourdes, une bâtisse détachée de l'asile où j'avais une de mes salles, dont Lourdes était le nom et à l'étage de laquelle se trouvait un atelier de couture. De là je marchais, un peu inquiet, heureux quand même, vers la petite porte d'en arrière du pavillon Sainte-Marie. Cette porte donnait sur un corridor béant qui descendait à perte de vue sous une lumière crue et blafarde, tel un boyau d'enfer. Chaque fois, il m'apparaissait ainsi parce qu'il était vide et plongeait sous un fleuve de rumeurs sourdes, de plaintes étouffées et de cauchemars qui, la nuit, submergeait les lieux. Après avoir passé par le pont-tunnel Hippolyte-Lafontaine pour m'en venir de Longueuil, j'éprouvais la pénible impression de rentrer dans une construction pareille, mais sans savoir si elle remontait des profondeurs et ne continuait pas d'y plonger sans fin... C'est d'ailleurs, comme chacun le sait, par le pont-tunnel qu'on a raccordé la principauté abolie à l'État unitaire.

En réalité ce corridor ramenait tout bonnement vers la chapelle, vers la salle de théâtre, en dessous de la chapelle, qui ne servait guère qu'à donner une explication à l'«Entrée des Artistes» sur son poteau, dehors, vers la cuisine et les restaurants, et plus avant encore vers le lointain Bourget. Il allait bientôt perdre cet aspect sinistre et redevenir avec le jour un moyen de communication qui réunirait la cité multiple, une des deux avenues perpendiculaires (l'autre descendant vers le pavillon Saint-Joseph) qui donneraient sur la rue principale, transverse et d'allure bonhomme, d'un grand village enfoui et chaleureux, à l'abri des intempéries et des désordres d'un monde extérieur tout ouvert et sans protection. Ces deux avenues plongeantes et cette rue transversale ne servaient qu'à l'usage des piétons, les uns pressés, les autres flâneurs, allant, venant, tous souverains, au lieu d'être, comme au-dehors, une voirie à l'usage des grands charrois et des automobilistes où le piéton, insignifiant et perdu, ne passe que furtivement en frôlant les murs... D'ailleurs cette béance vertigineuse et infernale ne durait qu'un instant; j'ouvrais une autre porte, à ma droite, celle-là intérieure, et me trouvais au pied d'un petit escalier tournant: vite je montais à l'étage et là, au bout d'un autre corridor, c'était la salle Sainte-Rita où j'avais mon ciel et mes quartiers. Le revêtement du premier corridor était de stuc, l'autre de bois. Le dénivellement de l'un se trouvait corrigé dans le second où le plancher était d'aplomb avec çà et là quelques marches à descendre. Le premier était ouvert de bout en bout, l'autre cloisonné; il n'y avait plus de béance, de tunnel, d'enfer, mais une intimité que dorait le bois, matériau aussi doux que le stuc est cruel.

À Sainte-Rita, je tombais dans la boîte du luthier. Les mauvais rêves et les plaintes de la nuit devenaient chuchotements, pas furtifs, éveil. Je ne restais pas longtemps seul dans mon bureau. À peine y étais-je installé, Pierrette surgissait, m'apportant des fruits dérobés au réfectoire, suivie de près par Hélène Brazeau, déjà sur ses talons hauts, le toupet coupé, qui, elle, les tirait de sa gorge en disant: «Prenez, prenez, comme ça ils sont plus chauds», à la grande indignation de Pierrette, aussi pudibonde qu'Hélène était dévergondée; elle la traitait de tous les noms et lui confisquait son offrande. Je les renvoyais bientôt sous prétexte de travailler, Hélène au dortoir, Pierrette dans sa chambre, et elles me laissaient, Hélène la première, Pierrette après avoir vérifié si ses admonestations restaient affichées au-dessus de ma chaise, retenues par un crucifix. Elle les avait dictées à la surveillante du soir. Ces admonestations me rappelaient que si j'avais été un enfant abandonné à sa naissance, adopté, rejeté, interné, bref que si j'étais passé par tous ses malheurs, je ne vaudrais pas mieux qu'elle et que jamais, au grand jamais, je ne devais l'oublier. Comme elle ne savait pas lire, elle me demandait parfois de les lui dire. Elle écoutait attentivement, oui, c'était bien ça, pas un de ses mots n'y manquait, et elle s'en retournait, l'air grave, satisfaite que la vérité restât proclamée et que, de ce fait, la justice fût rétablie dans le monde. D'ailleurs je ne pensais pas autrement, ne pouvant pas admettre qu'on fût fol ou fin par nature, persuadé au contraire que l'homme, de tous les animaux le plus démuni à sa naissance, devait tout à l'existence et que, faute de nature, il était une histoire. J'avais autant d'aversion pour l'hérédité que pour la prédestination, cette fois ignoble des protestants qui, non contents d'accumuler richesses et privilèges, se croient autorisés à le faire de toute éternité par Dieu Lui-même.

Ce rétablissement de la justice dans le monde permettait à Pierrette, sauvée de la honte, d'accepter son sort. Par contre, Hélène Brazeau, avec un entêtement irréductible, s'y refuse. Que lui importent justice et vérité pourvu qu'elle soit parée quand sa mère Odina, la célèbre putain dont elle n'a pas de nouvelle depuis trente ans et qui doit loger maintenant, se figure-t-elle, à l'Hôtel de ville de Montréal, bonne amie de la police et des échevins, viendra la délivrer? Après tant d'années de réclusion, elle attend, qui la croirait? Or, contre toute vraisemblance, elle aura raison.

Après les éclats de mon arrivée, une fois Pierrette retournée dans sa chambre, Hélène au dortoir, je disposais d'une heure ou deux de paix pour prendre connaissance des dossiers, plus ou moins épais, dont j'avais hérité, environ trois cent cinquante, et que je devais résumer une fois par année. J'avais commencé par les plus intrigants, mystérieux et cachottiers, le plus souvent gommés pour sauvegarder l'honneur de la profession, qui m'indignaient tout simplement. Je m'érigeais en justicier. Mon résumé de dossier, je le fourbissais comme une arme, puis l'envoyais copier aux archives et pouvais en conserver l'original, tel un collectionneur au retour d'une chasse ou d'une guerre, pour marquer mes exploits. Jolies prouesses! Et joli personnage!

Or, pendant que je rédigeais ainsi mes manifestes, mes proclamations, j'entendais parfois la vieille Aurore Dionne fredonner des airs anciens de Kamouraska, à jamais heureuse de n'être pas dans un placard, enfermée vivante dans ce cercueil debout, comme elle s'en était crue menacée autrefois, elle, l'orpheline des Bas, par sa tante de Lachine.

— Celle-là, avait dit la voisine dans son jardin, par-dessus la clôture mitoyenne, vous allez l'enfermer, j'espère bien?

Aurore, aux aguets, avait saisi la réponse de sa terrible tante: «Oui, Madame, c'est tout arrangé. Je n'attends plus qu'il y ait une place pour elle à Saint-Jean-de-Dieu.» Peu après, terrorisée, elle y avait été menée, mais voilà, au lieu du cercueil, elle s'était trouvée dans une immense maison où l'on pouvait aller et venir, et fredonner aussi: elle était tombée dans la boîte du luthier.

Ce fantasme phobique correspond à un cauchemar de la première enfance. Il n'a rien d'extraordinaire et ce n'est pas la vieille Aurore, quand elle était une sorte de petite bête sauvage, qui l'a inventé. Edgar Allan Poe en avait déjà tiré parti dans ses contes. Et il est récurrent. Quand la Commission Bédard siégera, elle entendra Jean-Guy Pagé, auteur de l'ouvrage qui avait déclenché l'enquête, *Les fous crient au secours*. Ce dénonciateur, quelque peu halluciné par son zèle, déclara avoir aperçu d'impitoyables Religieuses mettre des compagnons d'infortune dans des armoires à balais, forme particulièrement exiguë de la dernière instance de l'enfermement, ce fameux cercueil debout qui revient toujours. Intéressés, les trois enquêteurs demandèrent au témoin de leur montrer ces armoires à balais. Hélas! on les avait peut-être murées (avec un fou dedans, qui sait?) mais Monsieur Pagé ne put pas les retrouver. N'importe! Armoires ou pas, la révolution psychiatrique était en cours; elle continua.

Un peu avant huit heures, l'équipe du jour arrivait: un bataillon de femmes joyeuses qui faisaient escorte à l'Hospitalière de Sainte-Rita. La vie, à peu près suspendue depuis la veille au soir, reprenait son cours. Un lourd chariot nickelé et fumant suivait, apportant le déjeuner, détaché du convoi venu des avants où se trouvaient, du côté des hommes, les cuisines communautaires. Ce convoi, tiré par un camion à batteries, remontait lentement, trois fois par jour, le corridor en pente douce du pavillon Sainte-Marie, arrêtant à chaque salle pour lui laisser son chariot.

Après celui de Sainte-Rita, monté par l'ascenseur, il ne lui en restait plus que deux, celui de Sainte-Agathe, la salle en dessous de Sainte-Rita, livré directement, et celui de Lourdes qu'on poussait au-dehors (ce qui, par les tempêtes d'hiver, devenait un exploit), vers la bâtisse détachée du conglomérat où se trouvait cette salle excentrique, au-delà du chemin de circuit, dans les jardins de laquelle j'avais l'habitude de laisser mon auto.

Le camion vivandier faisait alors demi-tour et restait quelque temps au bout du corridor, près de la sortie, à attendre le retour des chariots. Son convoi avait remplacé le train électrique dont on apercevait encore çà et là trace des rails dans le stucco du plancher. Je m'en souvenais d'ailleurs pour y avoir pris place trente ans auparavant, lorsque nous étions venus, collégiens, saluer Nelligan avec le même respect que les Irlandais portaient naguère à leurs poètes, ces hommes irremplaçables qui les nourrissaient de chimères et de gloire. Seulement, les poètes, en Irlande, ne cessaient pas de parcourir le pays à la manière d'un Miron, tandis que le nôtre alors, reconnu le plus grand, restait enfermé dans un asile... Le chauffeur du camion, imbu de ses capacités, fumait sa pipe avec placidité. Les cris de Sainte-Agathe ne l'atteignaient pas. Sa machine dont les batteries devaient être sans cesse rechargées, exigeait une tout autre compétence que la petite locomotive d'antan, branchée sur le réseau électrique comme le tramway de la rue Notre-Dame qui se rendait jusqu'au bout de l'île, près du pont Charlemagne.

En descendant à Longue-Pointe, nous nous étions trouvés devant une avenue, bordée de peupliers, au bout de laquelle nous apercevions dans le lointain les bâtiments gris de Saint-Jean-de-Dieu et son château d'eau, comme une tache rouge; cette longue avenue, nous avions dû la remonter à pied pour franchir le pas de Gamelin. Maintenant, en 1970, on descendait d'autobus sur Hochelaga, tout près. La principauté avait perdu sa distance et une bonne partie de son territoire. Cependant, la construction du Bourget, la masquant de sa façade à péristyle corinthien, corrigeait ce rapprochement et le pas de Gamelin subsistait, moins apparent, plus insidieux. Le Bourget n'était pas encore là, lors de notre visite à Nelligan, non plus que l'immense résidence des Religieuses, en avancée sur le côté des hommes, et qui fut, de la part des Sœurs de la Providence, une erreur funeste, comme un cénotaphe qu'elles se seraient préparé.

Leur principauté avait sa raison d'être. Elles régnèrent sur la folie parce qu'elles partageaient les contraintes de son exclusion par leur réclusion volontaire. Ce n'est pas à Saint-Jean-de-Dieu que Nelligan a connu son enfer, mais à l'Asile Saint-Benoît, tenu par des Frères, où l'on enfermait, non pas les fous, mais les dévoyés et les vauriens qui sont en général des ivrognes, comme si on voulait lui faire payer la gloire qu'il avait connue un soir, un soir unique, après avoir déclamé «la Romance du vin». Ce pauvre garçon, déjà claustré chez lui, à qui sa mère apportait à manger dans sa chambre, ayant eu le malheur d'y piquer une crise, de cogner sur les murs parce qu'il débordait de la sève de son âge, parce qu'il étouffait, une seule et unique crise, se retrouva dans un monde d'hommes, lui qui ne parlait pas la langue de son père, lui qui le détestait, et ce fut là, je crois, qu'il perdit la raison. Quand, de l'Asile Saint-Benoît, il fut envoyé à Saint-Jean-de-Dieu, certes, il ne la retrouva pas, mais de l'enfer, il retomba dans les limbes, apaisé, sinon heureux, protégé par l'admirable docteur Loignon, lui-même poète, entouré de la sollicitude des Religieuses, un peu comme un somnambule. Il ne se souvenait plus guère de ses poèmes et les confondait parfois avec ceux de ses maîtres — ainsi m'avait-il donné en autographe un quatrain de Verlaine signé de son nom.

À vrai dire, il ne m'impressionna pas du tout. Par

contre, comme je me tenais à l'écart de mon groupe pendant que Nelligan terminait son numéro par une laborieuse déclamation, un type attira mon attention, m'appelant par une porte entrouverte.

— Monsieur, Monsieur, approchez-vous, je vous en supplie.

Je me rapprochai. Il resta dans l'embrasure, maigre, véhément, impérieux et pitoyable. D'une voix basse et rapide, chuchotant presque, de peur d'alerter un gardien, assez près de nous, dans la salle, il m'apprit qu'il avait été victime d'une machination infernale, interné sans la moindre raison, et il me demandait de le délivrer. Lui, il n'était pas éteint; il se consumait et m'enflamma de son feu. Je le crus sur parole. Mais comment le délivrer, moi, simple collégien? Interrompre Nelligan et dénoncer cette machination? J'allais lui demander de m'en indiquer les moyens quand le gardien, se rendant compte de son manège, vint chasser cet énergumène dans les profondeurs obscures de l'asile.

— Plus fou que lui, mon ami, ça ne se voit pas.

— Mais il a été interné sans raison.

— C'est la chanson qu'il répète à tout le monde; vous n'aurez pas été le premier à l'entendre.

J'en éprouvai la plus grande déception, sauveur abusé.

III

Après l'arrivée de l'équipe de jour, mettant fin à mes écritures, j'entreprenais la tournée de mes salles, réparties en deux groupes, le premier aux confins du pavillon Sainte-Marie, Sainte-Rita, Sainte-Agathe et Lourdes, extra-muros, et le second à l'étage, dans le corps du bâtiment, soit Fatima, Sainte-Rosalie, Sainte-Catherine et Sainte-Marie. Cela représentait une assez longue marche. D'ordinaire je commençais par le dernier, peut-être parce que je m'y plaisais le moins. Dans l'immense pavillon, il y avait bien d'autres salles qui relevaient de la psychiatrie ou de la neurologie, dont je n'étais guère curieux, en ayant déjà trop des miennes, dans l'impossibilité de connaître chacune de leurs trois cent cinquante occupantes, en principe toutes singulières. Je ne réussirai à me familiariser qu'avec quelques-unes.

Fatima comprenait une section pour grabataires parmi lesquelles se trouvait une mongolienne bien née, originaire d'un quartier riche de la ville. C'était là son malheur comme pour beaucoup de ses pareilles. Mieux vaut pour cette race une condition obscure. Au moins y reçoit-elle les soins et les égards qu'on prodigue à l'enfance ordinaire. Heureuse, elle parvient parfois à un épanouissement qui étonne et oblige à se demander si son inadaptation ne proviendrait pas d'une trop grande rapidité d'esprit. Tout autre était la mongolienne des grabats, à Fatima: elle n'arrêtait pas de descendre de son lit et d'y remonter après s'être assise sur sa chaise percée qui lui était indispensable même si, après avoir forcé, elle ne réussissait guère à faire son besoin qu'une fois sur mille. C'en était effarant: sa peur de se salir tenait de l'absolu. Que lui avait-on fait, Seigneur?

J'envoyai une travailleuse sociale rendre visite à la famille. Elle revint impressionnée par la politesse avec laquelle on l'avait reçue. La mère, certes, ne venait jamais voir sa fille, mais à cause de son affliction. C'était une dame, une dame irréprochable, inconsolable, admirable et tout. Et la terreur permanente de l'enfant, ses déplacements incessants du lit au petit pot qui ne lui laissaient aucun répit, qui ne lui permettaient même pas d'apprendre à sourire, restaient un mystère. Il ne fallait pas être sorcier pour le percer, ce mystère: la travailleuse sociale était fraîchement arrivée de France, d'un pays assez distingué pour lui en laisser et qu'elle pût apprécier un des plus beaux quartiers de Montréal; elle se portait à sa défense par une sorte de patriotisme, d'ailleurs très correct; après tout, qui la payait? La moindre des convenances consiste à ne pas cracher sur l'argent qu'on reçoit. Comment prendre parti pour les insensés quand on est à l'emploi de ceux qui les ont en horreur, une horreur d'autant plus justifiée qu'ils en auront été les auteurs? Et l'humanisme, me dira-t-on, la charité, la compassion? Une rhétorique creuse, un trafic de mots, une fraude. Comment en serait-il autrement? Dans une société où plus rien n'est gratuit, où le don reste toléré parce qu'il peut être calculé et déduit de l'impôt tandis que le sacrifice devient dérisoire parce qu'il est impondérable, où tout est payé pour que tout soit compté avec exactitude, le payeur sera toujours innocenté, l'innocent incriminé pour ne pas payer, d'être un parasite — et qu'on ne le plaigne pas, bien logé, bien nourri, quand on devrait l'égorger ou le pendre! D'ailleurs si on lui épargne le couteau et la corde, c'est que par chance il reste utile: une nombreuse main-d'œuvre se nourrit de le nourrir et prospère de le garder. Sur lui se fonde le syndicalisme militant qui a succédé au féodalisme des Sœurs de la Providence, efficace, adapté au siècle, mais sans la moindre transcendance.

La section des grabataires, à Fatima, influençait le reste de la salle qui devait se tenir tranquille, composé de braves idiotes, toujours contentes comme autant de pleines lunes illuminant la nuit. En dépit de l'agitation de la mongolienne qu'il fallait respecter, autrement elle aurait hurlé à mort, agitation d'ailleurs silencieuse et d'une telle monotonie qu'on finissait par s'y habituer, il se dégageait de ces lieux une sorte de sérénité, une blancheur diffuse et apaisante où perçait le regard d'une quadraplégique, parfaitement immobile, qui ne pouvait s'exprimer autrement que par lui. C'était un regard d'une infinie douceur où la compassion se mêlait à une tendre ironie envers nous qui ne pouvions rien pour elle.

En sortant de Fatima, on descendait cinq ou six marches et l'on se trouvait sur le palier de Sainte-Rosalie, de Providence et de Sainte-Marie dans le corps de l'aile des femmes. Sainte-Rosalie et Providence étaient deux salles d'une médiocrité désolante, surpeuplées, qui comptaient chacune une soixantaine de patientes dont la plupart me sont restées inconnues. Quelques-unes parvenaient à se signaler, toujours les mêmes, qui se trouvaient à cacher les autres, moroses et résignées, presquement éteintes, sans foyer à l'extérieur pour reprendre feu et garder au moins l'espoir d'y retourner. Personne ne les attendait nulle part et, n'attendant personne, elles vivaient dans la promiscuité au milieu d'un désert. Elles n'étaient ni vieilles ni jeunes, sans la pétulance de la jeunesse, sans l'étonnement amusé de la vieillesse, au mitan de l'âge, aussi loin d'un bord que de l'autre, à la dérive des jours dans le temps mort d'un asile.

Fatima était la salle de Dieu. De ses irrémédiables misères, se dégageait dans un nuage blanc la paix de l'abandon. Sainte-Rosalie et Providence n'en étaient que plus grises et désolantes. Leur disposition était identique, leur surpeuplement égal. Certes, les structures restent déterminantes, mais ne décident pas de tout. Le régime n'y était pas le même. À Sainte-Rosalie, on recourait à une singulière thérapie, dite d'occupation, fabriquant de menus objets pour le profit des petits entrepreneurs qui, faute d'atelier, font travailler à domicile et payent à la pièce, chichement. Ce pauvre argent constituait un trésor où l'on puisait pour le plaisir du quotidien, comme l'achat de cigarettes, et dans les grandes occasions, fêtes ou sorties. L'hospitalière poussait à la productivité. Sa thérapie tenait des travaux forcés; c'était d'autant plus patent que deux ou trois de ses meilleures ouvrières, dont Hélène Brazeau, étaient attachées à leur banc de travail par la cheville. Un long mois passa sans que je m'en rendisse compte. Chaque semaine, je signais le registre des contraintes qu'on me présentait comme une simple formalité. Formalité, oui, en effet, mais les abus d'autorité ne prennent-ils pas souvent un aspect bénin qui les rend encore plus terribles? À Providence, dont l'hospitalière, une Sœur haute comme trois pommes, toute simple et dévouée, était assistée par une infirmière intelligente, capable de l'apprécier (la seule infirmière qu'à ma connaissance on n'appelait pas Garde, mais Madame), on n'avait pas recours à cette thérapie impérieuse et machinale, saccadée et désâmante. Les patientes laissées à elles-mêmes, la salle ne s'en portait pas plus mal, d'une morosité sans énervement factice, d'un gris moins prononcé, teinté d'humanité. Grâce à l'industrie de la Religieuse qui savait aller chercher l'argent ailleurs, chez des bienfaiteurs ou dans sa communauté, Providence disposait d'une caisse aussi bien garnie que Sainte-Rosalie.

Lourdes et Sainte-Marie, de moitié moins nombreuses, où l'on était plus jeune, où l'on avait plus d'aise, jouissaient d'un statut nettement supérieur. Lourdes était isolée au milieu de ses jardins. Il s'y faisait quelque apprentissage dans l'atelier de couture à l'étage, au-dessus de la salle. Sainte-Marie avait été la salle favorite de mon prédécesseur, un vieux médecin bulgare venu à la psychiatrie par la marine marchande française, qui aux drogues nouvelles ajoutait toujours de la spartéine, un médicament ancien et très doux dans le but de les tempérer et de conjurer l'inquiétude que lui causait leur efficacité brutale. Dans le bureau de l'hospitalière où l'on recevait les patientes, il y avait une table imposante au milieu de la pièce et une manière de pupitre d'écolier placé de biais, à gauche de la table. La première fois que je m'amenai à Sainte-Marie, je pris place à la grand-table, mais l'hospitalière, poliment, me pria de m'asseoir au petit pupitre. La salle, par ses dispositions, obligeait au traitement égal des patientes, mais au-dessus de cette démocratie plébéienne il y avait une hiérarchie qui montait de la gardienne à l'hospitalière et me donnait droit au petit pupitre du médecin sans spécialité, non à la grand-table du psychiatre. Ce formalisme me déplut. Un mois passa. Toute l'Oligophrénie, tant du côté des hommes que des femmes, qui constituait l'Unité C, se trouvait maintenant sous l'autorité d'une personne à qui j'étais lié par les lettres, médecin sans autre titre qu'une longue expérience des lieux d'enfermement. Je l'avais suivie au Mont-Providence durant seize mois, cinq ans auparavant. Elle m'avait rappelé à Saint-Jean-de-Dieu. Mon usurpation dépendait de la sienne et la sienne du bon vouloir du Surintendant médical. J'aurai donc été un usurpateur de deuxième ordre durant la période d'incertitude qui précéda la fin de la principauté de Saint-Jean-de-Dieu. Le mois passe; mon prédécesseur promu à l'Unité D de neurologie qui n'avait pas de psychiatre, jetant un regard de dédain sur le petit pupitre, je m'installai à la grand-table.

J'étais dorénavant autorisé à faire voyager les patientes en les déplaçant de salle, de même qu'à les libérer de l'asile quand elles manifestaient des dispositions à s'évader. Ces évasions, je les favorisais, je ne m'en cache pas. Les voyagements intérieurs d'une salle à l'autre s'opéraient le plus souvent pour des raisons de discipline, mais quelquefois dans le but de modifier l'esprit des salles. J'enlevai ainsi Hélène Brazeau à l'hospitalière de Sainte-Rosalie en la faisant passer au dortoir de Sainte-Rita contre une mongolienne béate. Seule la réputation de Sainte-Agathe ne changeait pas et ne devait pas changer. Quand une patiente devenait incontrôlable dans une des salles démocratiques où régnait une égalité fragile, sinon factice (car les dérèglements de la raison ramènent l'attention à soi, ne favorisant pas l'altruisme ni les normes), après l'avoir menacée de Sainte-Agathe, quand cela ne suffisait pas, je l'y envoyais et Garde Larose, haute comme une tour, disposant de cabanons, avait tôt fait de la calmer.

Ce sera néanmoins de Sainte-Agathe que je fis monter à Sainte-Rita Pierrette, l'esprit simple et candide, mais le verbe haut, le geste désordonné, un corps qui ne tient pas en place. Une lourde médication ne calmait pas ses éclats, bien au contraire: après quelques heures d'abattement, l'esprit brouillé, elle faisait explosion. Un jour, je la trouve au cabanon, enroulée de bandelettes, réduite à l'immobilité la plus complète. Seuls lui bougent les orteils, lui roulent les yeux de chaque côté de son grand nez, comme furieux, mais c'est là sa façon ordinaire de regarder. D'une voix lamentable, elle me supplie de la délivrer du supplice de la momie auquel elle a été condamnée pour trois jours. «Non, ma fille, dit Garde Larose derrière mon épaule, tu feras tes trois jours: il faut que tu t'en souviennes, autrement tu repartiras en peur demain.» Je n'ai rien à ajouter:

mon autorité passe par les hospitalières et je dois me plier à la leur. Quand même la momie... Pierrette resta donc sous contention durant trois jours comme le Christ au tombeau. Aussitôt après, cependant, sous prétexte de l'y essayer, je la fis monter à Sainte-Rita, en échange de Monique Fontaine qui, après avoir mérité toutes les faveurs, s'arrange toujours pour les perdre et les regagner. Qu'a-t-elle fait? Comme toujours, quand elle est à son apogée, elle s'est plantée une aiguille dans l'avant-bras, sous l'impression que je l'enverrai d'urgence à Sainte-Marguerite, à l'Unité médico-chirurgicale. Seulement, cette fois-ci, c'est à Sainte-Agathe qu'elle descendit avec son aiguille. «Tu te l'es plantée, garde-la.» Elle la garda une bonne semaine. «La prochaine fois tu la garderas un mois.» La disgrâce de Monique survenait au bon moment: elle me permit de donner sa chambre à Pierrette, la plus prestigieuse, près du poste de garde. L'exercice du pouvoir ne me déplaisait pas. J'avais cinquante ans. Il compensait pour la perte de ma jeunesse. Le savais-je? Oui, peut-être, mais il restait trop précaire pour que je m'en fasse une raison.

IV

Je ne fis pas monter Pierrette à Sainte-Rita sans avoir obtenu le consentement de l'hospitalière au regard un peu oblique, avec je ne sais quoi de félin dans le comportement, qui n'avait jamais à élever la voix, adorée par son personnel, toute simple avec les plus simples gardiennes, connaissant les tréfonds de leur cœur, ne livrant pas le sien, véritable souveraine de la salle. Elle comprit l'intérêt que je portais à Pierrette et consentit à y joindre le sien. Pierrette, si peu jolie, plutôt énergumène, devint en quelque sorte notre fille. Je diminuai peu à peu sa médication, ne lui laissant qu'un petit cachet de gardénal. Ses accès de fureur cessèrent. Elle n'en resta pas moins une manière de polichinelle dont la boîte ne tenait jamais en place, de sorte qu'elle surgissait ici et là, n'importe où, n'importe quand. On l'envoyait aux commissions. Personne n'était plus rapide. En peu de temps, elle se fit connaître dans tout l'asile comme la représentante d'une salle un peu spéciale et fantasque aux confins du pavillon Sainte-Marie, sur laquelle toutes sortes de bruits se mirent à courir, d'abord qu'une préposée y avait été tuée, puis, lors des Événements d'octobre, que le pauvre Monsieur Cross était séquestré dans un de nos cabanons.

Il n'y a jamais de fumée sans feu. Alors que reclus et recluses, à qui il arrivait un accident, restaient à Saint-Jean-de-Dieu pour y être traités, soit dans leur salle, soit à l'Unité médico-chirurgicale, au Bourget, les gens du personnel étaient expédiés à l'Hôpital Maisonneuve parce qu'il aurait été de mauvais aloi que l'employeur soignât les accidents de travail de ses employés. Or il arriva qu'une gardienne de Sainte-Rosalie qui avait omis de mentionner qu'elle souffrait d'épilepsie (autrement elle n'aurait pas obtenu son poste) piqua une crise en plein après-midi et partit pour Maisonneuve, la tête toute ensanglantée. De là naquit sans doute la légende d'une gardienne assassinée à Sainte-Rita.

— Mon Dieu! comment cela a-t-il pu se produire?

— Cela ne s'est pas produit du tout. Venez compter nos gardiennes, vous verrez: il ne nous en manque pas une seule.

On ne tenait pas à vérifier.

— Ah bon! nous comprenons: vous êtes tenus de ne point parler.

Quand on interrogeait Pierrette, elle se récriait avec indignation: «Vous êtes une bande de maudits fous!» et faisait demi-tour, repartant comme une flèche pour venir nous apprendre la nouvelle que nous connaissions déjà. Quant à la séquestration du pauvre Monsieur Cross, la rumeur en parvint jusqu'à ces Messieurs de l'Armée canadienne qui ne savaient vraiment pas comment occuper leurs soldats durant la fameuse Crise d'octobre, vu qu'ils n'étaient intervenus que dans le but d'impressionner les populations et qu'ils n'avaient strictement rien d'autre à faire; ils en accueillirent le bruit avec jubilation et détachèrent un de leurs bataillons contre Saint-Jean-de-Dieu, lequel se heurta au Surintendant médical et à Madame la Directrice générale. Une fouille dans l'asile y aurait suscité la plus grande agitation. On parlementa pendant plus d'une heure avant de convaincre les Forces canadiennes qu'elles avaient été mal informées et que Monsieur Cross ne pouvait se trouver dans un cabanon de Sainte-Rita, du côté des femmes. La peur du ridicule finit par l'emporter sur la valeur des armes.

Pierrette venait constater de temps à autre que ses admonestations restaient affichées au-dessus de ma tête dans mon petit bureau. Elle témoignait à la dame des lieux d'une affection sans borne. Parfois celle-ci la laissait venir s'asseoir à ses pieds dans le poste de garde et Pierrette alors ne bougeait plus, au comble du bonheur. Sainte-Rita, salle heureuse, était son œuvre. Je n'eus pas trop de mal à en comprendre le système. Il procédait du même principe qu'à Grande-Ligne, sur les hauteurs de Saint-Blaise, où j'avais passé quelques semaines au début de ma carrière. Dans ce camp de prisonniers de guerre où l'on gardait trois ou quatre cents officiers allemands, une quarantaine de vieux bonhommes, vétérans de la guerre précédente, suffisaient à la tâche, cantonnés en dehors des barbelés. Au-dedans, les Allemands, logés dans le vieil Institut Feller, un collège de Suisses français qui vivotait depuis plus d'un siècle, faisaient leur loi eux-mêmes, soumis à leur propre hiérarchie, commandés par un général prussien. Les Veteran Guards assuraient le ravitaillement du camp et sa surveillance extérieure, c'est tout. Les deux groupes restaient étrangers l'un à l'autre et entretenaient une hostilité de commande pour cette raison, tandis que moi, venant en troisième lieu, familier avec l'un et avec l'autre, je m'entendais le mieux du monde avec chacun des deux parce que, par mes fonctions, je me trouvais à les fréquenter tous deux. Je ne pouvais rien contre leur hostilité, rien sauf ne pas la partager. Au moins on ne tentait pas de guérir ces captifs d'être Allemands, en les laissant maîtres d'eux-mêmes, au cœur de leur captivité.

Les choses se passaient à peu près de même à Sainte-Rita, avec la guerre en moins. Captives et gardiennes s'entremêlaient et n'étaient pas à charge ni des unes ni des autres. Quoiqu'il y eut des imbéciles et des idiotes dans leur groupe, les captives se suffisaient presque entièrement; elles auraient pu se passer des gardiennes pour une bonne semaine à la condition de rester sous le regard souverain de l'hospitalière. Les gardiennes, libérées des tâches ingrates, disposaient d'un merveilleux loisir qu'elles occupaient, disséminées dans la salle, à catiner des pièces d'artisanat; on les exposait deux fois par année. Leur vente faisait de Sainte-Rita une salle riche. Les captives aidaient un peu les gardiennes ou venaient tout simplement les admirer, ravies par leur habilité, sachant que toute cette industrie n'avait lieu que pour elles et relevait le prestige d'une salle à laquelle elles étaient fières d'appartenir. Elles n'avaient pas subi une défaite nationale comme les officiers allemands qui, la paix signée, furent aussitôt guéris et délivrés. Leur défaite personnelle était trop diverse pour bénéficier d'une amnistie générale. Le camp de Grande-Ligne fut restitué à l'Institut Feller, mais Sainte-Rita restait à Sainte-Rita, au-dessus de la salle Sainte-Agathe, comme le refuge de l'individualité blessée au cours de la guerre permanente des individus contre les individus. Pour ces perdantes, pour ces captives singulières, sans pays, cette salle tenait lieu de patrie. Et qu'y étais-je au juste? Un neutre comme je l'avais déjà été à Grande-Ligne, sur les hauteurs de Saint-Blaise. Je me complaisais dans cette analogie.

Chaque matin, après l'arrivée de l'équipe de jour et le déjeuner, on tirait de son cabanon une grande fille décharnée, dans la trentaine, qui ne souffrait pas de linge sur son corps et passait la journée debout, toute nue, à tourner lentement sur elle-même en se rongeant les poings ou bien en se contemplant les mains dont le mouvement la fascinait. On lui jetait une chemise sur les épaules, deux de ses compagnes la tiraient, une autre la poussait et la gardienne n'avait qu'à suivre. On allait baigner cette sorte de bête puis on la ramenait à son cabanon où Virginia Boisclair, entre-temps, avait fait le ménage. Virginia était une vieille demoiselle, menue, discrète, qui n'arrêtait pas de travailler du matin au soir, rapide et efficace, mais qui ne savait faire que ça. Lui adressait-on la parole, qu'aussitôt elle divaguait: on apprenait qu'elle souffrait tous les supplices de l'enfer, lardée de lances de feu, les os broyés, et bien d'autres tortures qu'elle énumérait avec indignation. On apprenait surtout qu'il valait mieux ne pas provoquer sa diatribe et la laisser vaquer à ses travaux en silence. Le gros du ménage terminé, elle passait le reste de son temps à épousseter les bois dorés de Sainte-Rita, telle une fée domestique. Je ne cherchai pas trop à comprendre comment cette folle absolue qui relevait de la psychiatrie, d'ailleurs d'âge à passer en gériatrie, restait dans l'Unité C des arriérés mentaux. Il y avait beaucoup d'exceptions à la règle dans la principauté de Saint-Jean-de-Dieu. L'hospitalière de la salle avait su convaincre Sœur Larocque, la surveillante de l'Unité, et celle-ci Madame la Directrice générale, que Sainte-Rita était indispensable à Virginia Boisclair autant qu'elle y était précieuse, que livrée à l'oisiveté, parmi les vieillardes, elle deviendrait la proie d'intolérables tourments, et c'était probablement la vérité.

Sainte-Rita, comme Sainte-Agathe, était une salle hétéroclite. Il y avait de tout, du meilleur au pire. À droite du corridor, les chambres allaient en se dégradant pour finir en cabanons. À gauche, il y avait le réfectoire, la grande salle de toilette et au fond le dortoir. La différence majeure tenait au fait qu'à Sainte-Rita le côté droit n'était pas coupé du gauche par le corridor et qu'à la place de la porte de sortie se trouvait le poste de garde où je prenais chaque jour mes décisions avec l'accord de l'hospitalière au regard oblique, au doux sourire, un peu amusée, souveraine dont j'étais le maître de palais. Ce poste, à Sainte-Agathe, était reporté sur la gauche dans une pièce, près des bains, qui, à Sainte-Rita, servait de lieu de repos au personnel, où, lors des deux pauses de la journée, nous prenions le café tous ensemble. Une autre différence, sans compter celle des boiseries et du stucco, provenait de trois chambres qui, à Sainte-Agathe, donnaient sur le corridor. Moins vastes qu'à Sainte-Rita, elles servaient l'une à mon bureau, l'autre au vestiaire du personnel; quant à la troisième, elle avait été déclarée parloir, et ce fut là qu'un sourd-muet frénétique, beaucoup plus fou que sa femme, une sourde-muette très douce que nous gardions internée, alors que lui, il courait les rues par toute la ville, la viendra engrosser pour la troisième fois. Il s'en fallut de peu que nous gardions l'enfant clandestinement, envers et contre tous, au mépris des lois et règlements de la principauté. Toute la salle était unanime, l'hospitalière, ses assistantes, les gardiennes et les recluses, pour alerter les anges du ciel, réinventer Noël, imposer la bonne nouvelle.

— Cet enfant appartient à Sainte-Rita depuis le commencement dans le petit parloir; on ne viendra pas nous l'enlever, avait dit une gardienne, toujours alerte et de bonne humeur, qui ne parlait jamais pour rien.

Vint le temps pour la sourde-muette d'accoucher. Les douleurs débutèrent un soir, alors que j'étais justement de garde. Rien n'aurait été plus facile que de l'aider à mettre son enfant au monde dans la salle Sainte-Rita. Elle l'aurait gardé et élevé au milieu de l'émerveillement général. Tous, nous l'aurions défendu contre les Hérodes du Bourget. Mais à la dernière minute, parce qu'un de ses deux premiers enfants était né avec une malformation, je pris peur, j'appelai l'ambulance et détruisis en un instant un grand rêve, la folle et belle entreprise que nous avions préparée. C'est là un des rares regrets de ma vie.

V

J'achevais de passer en revue, judas après judas, les cabanons de Sainte-Agathe. Je marchais dans mes petits souliers, plus impressionné que je n'en voulais laisser paraître. Garde Larose, l'hospitalière de la salle, me suivait, débonnaire, le trousseau de clefs à la main. Soudain, un mot de Chateaubriand me revint à la mémoire. Tournant la tête, je lui jetai par-dessus l'épaule:

— Une fois l'esprit frappé, le sens s'échappe et il vaudrait mieux mourir.

J'entendis cliqueter ses clefs. Je me retournai de nouveau. Elle haussait les épaules.

— Voyons, Docteur! Ce n'est pas ici une église.

Elle entendait par là que les lieux ne se prêtaient pas à des citations d'auteur et qu'au milieu des cris, une phrase, belle ou non, de moi ou d'un autre, restait une phrase, quelque chose de creux et de vain. Je comprendrai par après, sur le moment, non. Parti comme je l'étais, je crus bon d'ajouter, cette fois à mon compte:

— Seulement, on vit: que de tourments et quelle détresse!

Garde Larose fit glisser le dernier judas:

— Tenez, constatez.

Le cabanon me parut vide.

— Serait-il plus grand que les autres?

— Non, plus tranquille, sans tourment ni détresse.

Elle déverrouilla la lourde porte. Au milieu du cabanon, un paquet de linge sale, répugnant: la Mariton repliée sur elle-même, le front au plancher. Une crinière grise dépassait. Garde Larose la lui tira:

— Regardez-lui donc la face!

Les yeux morts, la physionomie éteinte, la Mariton ne gardait que des traces de visage.

— La Mariton, est-ce son nom?

— Son nom de cabanon. Auparavant elle s'appelait Marie. Son dossier vous intéressera. Dans votre bureau, à Sainte-Rita, vous aurez toute la paix voulue pour le lire. Peut-être y trouverez-vous de grands mots, amours, délices et orgues, détresse et tourments? En tout cas, justice lui a été faite.

— Quelle justice?

— Par quatre fois, elle a comparu devant un tribunal médical, seule, sans avocat, ce n'est pas assez pour vous!

Une telle justice me rappelait la Sainte Inquisition. Garde Larose avait piqué ma curiosité. Je montai de Sainte-Agathe à Sainte-Rita avec le dossier de la Mariton sous le bras. Elle s'appelait en effet Marie et nous apparaît le 22 décembre 1956, lorsqu'elle est transférée du Mont-Providence à Saint-Jean-de-Dieu. Elle a quatorze ans. Le Mont-Providence ouvrit ses portes en 1954. On doit supposer qu'elle y a été enfermée vers l'âge de douze ou treize ans à la demande de ses parents. Pour quelle raison? Ça, on l'ignore. Chose certaine, l'internement n'est jamais propice à cet âge; il tourne au désastre le plus souvent. Le 4 janvier 1957, treize jours après son arrivée, la future Mariton comparaît devant un tribunal de huit médecins. Son interrogatoire figure au procès-verbal.

— Où étais-tu avant de venir ici?

— À Mont-Providence.

— Pourquoi es-tu venue de là?

— Je grafignais tout le monde.

— Pourquoi donc?

— Parce que je ne voyais plus mes parents.

— As-tu des sœurs à la maison?

— Francine, Zizi, Louise...

— Pas de petits garçons?

— Non, rien que des petites filles.

— Pourquoi les as-tu grafignées, les petites filles?

— Parce que maman ne venait pas... A va-tu venir, là?

— Elle a bien des enfants?

— Non, pas beaucoup.

Là-dessus on passe à des généralités.

— Dans quel mois sommes-nous, là?

— Vendredi.

— Non, dans quel mois?

— Le mois des Fêtes.

— Sais-tu en quelle année?

— Non... J'aimerais ça rester dans une salle avec des petites filles.

Le tribunal rend le verdict suivant: «Marie ne peut pas dire son âge, ne distingue pas sa droite de sa gauche et ne sait pas compter. Elle admet s'être montrée agressive au Mont-Providence, soi-disant parce que ses parents ne la visitaient pas. L'assemblée est d'avis que le degré de la débilité atteint celui de l'imbécillité 325.1.»

Cinq ans plus tard, le 8 janvier 1962, le tribunal, cette fois composé de douze médecins, siège de nouveau. Marie a maintenant dix-neuf ans. Son interrogatoire ne figure pas au procès-verbal. On note seulement qu'elle ne pense qu'en termes concrets et répond aux questions les plus simples avec difficulté. D'ailleurs, on ne l'a pas convoquée pour déterminer le degré de son imbécillité, déjà fixé avec exactitude. Non, elle doit répondre à une accusation grave. Elle est devenue un véritable démon; elle frappe, mord, déchire son linge. On doit la garder sous contrainte. Et pourtant les bons traitements lui ont été prodigués: une lobotomie frontale bilatérale au mois d'août 1960, une série d'électrochocs en juin 1961, sans compter les pilules de toutes sortes. Le tribunal, décontenancé par une telle perversité, en reste pantois et ne décide pas grand-chose: on essaiera d'autres pilules, en particulier du dilantin, car il pourrait s'agir d'une agitation épileptique, consécutive à la lobotomie, et puis on verra.

Trois années passent, nouvelle assemblée des justiciers, le 27 avril 1965, où l'on proposera une lobotomie itérative. Itérative! que la médecine parfois s'exprime bien. En jargon officiel, cela signifie une «thalamotonie par voie stéréo-taxique, d'abord unilatérale, au niveau du noyau dorso-médian». Le tribunal acquiesce, le neurochirurgien procède, mais il n'aura pas à s'attaquer itérativement à l'autre côté: un abcès postopératoire paralyse Marie à droite. L'abcès drainé, la paralysie s'améliore, piètre avantage: Marie est devenue la Mariton, complètement hébétée, en paquet toute la journée dans son cabanon. Lui dites-vous trois mots, elle les répète; ce renvoi constitue sa réponse. Et puis elle semble aveugle, mais qu'elle le soit ou non, dans l'état où elle survit, cela n'a vraiment aucune importance.

Le tribunal daigna néanmoins siéger une quatrième et dernière fois, le 14 décembre 1965. Ce fut pour reconsidérer le cas. La Mariton ne sera pas appelée à comparaître. Dans le procès-verbal on note que jusqu'en 1960, «Mademoiselle Marie réclamait sans cesse la visite de ses parents». Elle avait bien tort. Telle fut la raison de l'effrayant combat que cette fillette, par ailleurs jolie, avait livré seule envers et contre tous, affrontant les pires supplices, et qu'on avait réduite à n'être plus qu'un paquet malpropre dans son cabanon de la salle Sainte-Agathe — victoire douteuse. Le tribunal siégeait, cette fois, pour se disculper. À l'unanimité, il conclura au conditionnel que «la lobotomie resterait indiquée dans certains cas d'impulsions compulsives». Cela équivalait à sa propre condamnation. Quelques années passèrent où l'on s'abstint de recourir à la lobotomie. Le jugement n'était pas définitif, loin de là.

Dès 1970, cette fois sans tribunal, on cherchait à revenir à cette intervention sous des formes plus sophistiquées. La médecine a un tel besoin de la lésion qu'à défaut de la trouver, elle la crée. De surcroît, la neurochirurgie, une aussi fine spécialité, doit se faire la main et la garder. Or les patientes de l'Unité C dont j'avais usurpé la charge, abandonnées par leurs parents, sans protection, telle la Mariton, fournissaient un excellent matériel d'expérimentation. Dès septembre, je connais l'heureuse prédestinée, cette Monique Fontaine que j'ai précipitée à Sainte-Agathe pour donner sa chambre à Pierrette. Cette Monique a grand jeu: elle ne cesse de se gagner faveurs et privilèges pour les perdre et regagner. Elle attire l'attention et la garde. Quand elle a tout obtenu, elle se plante une aiguille dans l'avant-bras. Cela lui arrive deux ou trois fois par année. On prétexta, chiffres à l'appui, que cette manie coûtait trop cher à l'État et qu'il serait de bonne administration de réduire cette dépense par une psychochirurgie utilitaire.

On la pratiquera après mon départ de Saint-Jean-de-Dieu, au printemps de 1971. L'économie n'y gagna rien à cause d'une hémiparésie malencontreuse. J'avais conservé des intelligences dans la place. Averti, j'y allai voir, mais loin de tomber sur une deuxième Mariton, je trouvai Monique encantée dans un haut lit d'hôpital qui emplissait toute la chambre, entourée de mille soins parce qu'on voulait la remettre sur pied au plus vite. Sous son blanc turban, elle avait le visage bénin du souverain bonheur. Sachant que je l'avais retardée, à peine me jeta-t-elle un regard de dédain. Je dus convenir que la lobotomie pouvait avoir du bon, mais par accident, et qu'il eût été meilleur sans le trépan.

Je l'accepterais à cette condition. Une fois le cuir chevelu incisé, on le recoud tout simplement, et l'on fait croire qu'on est allé plus loin, que du plus profond de l'âme, on en a extirpé le tourment. C'est le principe de la guérison magique, obtenue au cours d'une cérémonie impressionnante dont le malade a tous les honneurs et qui montre l'importance qu'on accorde à sa santé, une cérémonie toujours à son bénéfice, jamais à son préjudice.

Je ne suis pas, Dieu merci, un médecin d'avant-garde. Eussé-je réussi à réunir le tribunal médical une cinquième fois, le Diable eût bien ri: j'eusse écopé d'une condamnation de sorcellerie, sentence remise, sans lobotomie. La médecine a au moins ceci de bon pour qui la pratique, qu'elle le protège contre l'inquisition de ses confrères.

VI

Après la tournée de mes salles, commencée par les plus lointaines, Fatima, Sainte-Rosalie, Sainte-Catherine, Sainte-Marie, achevée par Lourdes et Sainte-Agathe, quand je m'apprêtais à monter à Sainte-Rita où j'avais mes quartiers, Mariette me rejoignait au pied de l'escalier, tenant dans sa main droite un chapelet et un mouchoir, posant sa gauche sur mon avant-bras droit, comme une dame, et je devenais son chevalier. Elle parlait très vite et me disait des choses que je ne comprenais pas. En haut de l'escalier, je sortais mon trousseau de clefs, ouvrais la porte et nous nous trouvions devant le poste de garde de Sainte-Rita. Mariette s'épongeait la bouche, reprenait son mouchoir humide et son chapelet dans sa main gauche. De la droite, leur serrant la main, elle saluait l'hospitalière et son assistante, puis redescendait. C'était là une cérémonie qui se répétait au moins une fois par jour.

Mariette avait mon âge; je l'aimais et elle m'aimait. Néanmoins, en dépit de toute mon attention, j'avais renoncé à la comprendre, me contentant de lui dire, lorsqu'une pause me le permettait: «Oui, Mariette», avec le calme inaltérable des sourds. Elle discourait avec volubilité, en forçant son débit en même temps qu'elle abaissait le timbre de sa voix. Un son grave et monotone montait. Sur cette plainte trachéale, des débris de mots, hachés menus, sortaient à flot de sa bouche qu'elle devait à tout moment éponger, car elle y perdait vraiment sa salive.

Cette voix d'égorgée me troublait. Je cherchais à me l'expliquer.

En m'attendant, Mariette allait et venait dans le passage, devant la porte de sa chambre, en récitant son chapelet. Ce chapelet, comment le disait-elle? De plus elle lisait, mais comment faisait-elle? Enfin, elle écoutait la radio et écoutait la télévision. Dès 1952, on note qu'elle «reste dans sa chambre à écouter la radio». Elle a un petit poste de télévision depuis quelques années déjà. Ne se serait-elle pas habituée dans sa solitude, stimulée par la prière et la lecture, par les voix de la radio et de la télévision, à ne parler qu'à soi-même, vite puisqu'elle s'entend aussitôt, et bas, c'est assez fort, quitte à ne plus communiquer autrement? Veut-elle se faire comprendre, elle parle plus vite, plus bas et ne réussit pas. À part l'hospitalière de la salle et une compagne, Suzanne Lusignan, qui semblent la comprendre, on croit qu'elle fait de la logorrhée. Le docteur Hoc la déclare «débile profonde, inintelligible». Un confrère par contre a noté, le 16 décembre 1963, qu'elle a bonne mémoire et lit *la Presse*, journal auquel elle est abonnée. Il ajoute: «Pas agressive mais agaçante par sa manie de toucher. Garde-corps de la Religieuse.» Cela n'indiquait-il pas une recherche de la mère, personnalisée par la Religieuse à qui elle aurait parlé à voix basse et d'un débit rapide pour mieux se l'approprier et tenter de réaliser une introjection manquée, d'une part en la retenant par la manche, et d'autre part en lui parlant comme à soi, mère partagée et deux fois trompeuse, à la fois intérieure et extérieure tout en n'étant ni l'une ni l'autre? Cette attitude pathétique se serait perpétuée, expliquant le comportement de Mariette, affectueux et bon, et sa manière de parler, plaintive et trachéale, avec des mots hachés menus, inintelligibles — sa voix d'égorgée. Pure supposition que tout cela! En fait cette malheureuse, quinquagénaire comme moi, ne disait rien de plus que j'en pouvais entendre: on lui avait arraché la voix tout simplement, comme on extrait une dent avec un davier sanglant.

Mariette est née à Saint-Cuthbert. Dès l'âge de cinq ans, on la place à l'orphelinat de Joliette, mais elle est trop turbulente: on la renvoie à ses grands-parents. Sa mère était morte à vingt-huit ans de tuberculose et son père à trente-deux ans d'une cardiopathie. Ce père aurait été ivrogne, son grand-père de même, du moins durant un certain temps car, au moment où l'on fait l'histoire familiale, il a quatre-vingt-six ans et se porte bien. Cet alcoolisme était de mauvais augure, péché ancestral dont il faudra purger la peine. On entrait souvent à Saint-Jean-de-Dieu par châtiment. Ce fut le cas de Mariette dont la débilité, d'ailleurs douteuse, semble avoir été circonstancielle, moins causée par l'ivrognerie du père et du grand-père que par la perte de ses parents. Elle sera internée à l'âge de dix ans, en 1930. En 1933, on note une turgence de la thyroïde qui n'a rien de pathologique, fréquente chez les jeunes filles sensibles; jointe à de la rougeur, elle trahit leur émotion. De 1930 à 1946, elle est souvent mêlée à des accidents de salle. Sœur Chauveau, l'hospitalière de Lourdes, me signalera qu'elle ressemblait singulièrement à Nicole Primeau, fillette au teint clair, à la voix vibrante, vive, taquine, toujours présente quand survient un tumulte. On lit au dossier que Mariette se mêle de ce qui ne la regarde pas, s'accroche aux gens, provoque ses compagnes et fait parfois la toupie. Encore aujourd'hui on dit qu'elle est pigeonneuse, c'est-à-dire caressante. Il lui arrive, à cinquante ans, de tourner lentement sur elle-même dans le passage, quand elle s'y croit seule. Cette Mariette affectueuse avait trop d'exubérance pour la promiscuité de la salle. Les Religieuses, qui ont probablement tenté de la défendre, la considèrent comme «une bonne débile».

En 1946, elle passe les vingt-cinq ans, elle est dans

toute la splendeur de sa beauté. La médecine commence à sévir contre elle. C'est une médecine d'homme, assez équivoque, sinon perverse. On lui fera des électrochocs, thérapie le plus souvent répressive, parfois terrifiante. Ils suscitèrent en elle une réaction aveugle de défense. On notera, le 3 octobre 1947, lors d'une crise d'agitation, qu'«elle est douée d'une force phénoménale». C'est la grande Aphrodite qui se manifeste. Ces crises surviennent à la veille de ses règles: on lui ouvre le ventre, on l'éviscère; le 12 février 1948: la matrice, l'appendice, l'ovaire droit, peut-être un morceau du gauche. Bref, on s'attaque à son sexe, on la castre, mutilation qui se pratique contre la femme, contre l'homme, jamais. Médecine d'homme, ai-je dit. Je le répète à ma propre honte. Ces outrages d'ailleurs ne donnent rien. Le 19 octobre 1951, la lobotomie est conseillée. Auparavant, le 11, sans aucune indication, un examen dangereux, le pneumo-encéphalogramme, aura été pratiqué. La lobotomie fut faite à la bonne franquette, le 9 novembre 1951: «Lobotomie transfrontale bilatérale. Section à trois cm de chaque côté.» Ce rapport laconique est signé par un simple chirurgien.

La première semaine, Mariette semble avoir été tranquille, mais dès le 17 novembre, le docteur Tellier prescrit des courroies de pieds, en même temps qu'on note de la logorrhée et du maniérisme. Le 22 novembre, on remarque qu'elle parle vite, très vite. Il n'empêche que, quelques jours après, Mariette reçoit une manière de diplôme, dûment certifié par les autorités, qui la libère définitivement de Saint-Jean-de-Dieu. Une guérison, un triomphe de la médecine? Loin de là, un de ces échecs dont elle ne saurait souffrir la vue et qu'on éloigne. C'est le complexe du docteur Charles Bovary qui ne pouvait souffrir le bruit de la jambe de bois du garçon d'écurie dont il avait voulu corriger le pied bot: l'entendait-il venir qu'il faisait un détour afin de l'éviter.

En somme, Mariette est une belle fille qu'on aura voulu mutiler par le bas, en la castrant, par le haut, en lui farfouillant dans la tête, et dont on se débarrasse ensuite en l'envoyant à la Maison Saint-Joseph. Elle n'y restera pas trois mois. On la reprit, le 3 mars, en lui ouvrant un nouveau dossier. L'ancien restera aux archives pendant près de vingt ans. On n'était pas curieux, non, pas du tout, de revenir sur son cas. D'ailleurs Mariette n'était pas encore rendue au bout de ses peines. On n'avait pas fini de lui arracher la voix. Le 5 mars, deux jours après son retour de la Maison Saint-Joseph, elle eut l'honneur de comparaître devant le tribunal médical. Le procès-verbal mentionne que l'inculpée a donné ses nom et âge correctement, qu'elle est bien orientée, connaît son village d'origine, Saint-Cuthbert, et se souvient d'avoir été élevée par sa grand-mère après la mort de ses parents.

— Pourquoi es-tu revenue ici?

— J'étais haïssable à la Maison Saint-Joseph.

— Qu'est-ce que tu faisais?

— Rien: ils m'ont enfermée dans la cave.

Les médecins-magistrats n'ont pas eu de mal à comprendre Mariette. En tout cas, aucune mention de ses troubles d'élocution, au procès-verbal. Peu après, en octobre 1952 et en mai 1953, elle recevra sur son trauma opératoire deux séries d'électrochocs, l'une pour la tranquilliser, l'autre, au contraire, «pour la faire travailler». En 1954, elle a des accès de colère, on entreprend de lui donner du largactil à forte dose qui, loin de l'aider à parler, la fera baver. Le 13 octobre 1956, l'hospitalière note au dossier: «Patiente très difficile à comprendre». On lui aura enlevé les cordes vocales fibre par fibre et cette opération, commencée par la lobotomie de 1951, sera poursuivie avec patience et minutie par les deux séries d'électrochocs sur le trauma opératoire, séries d'un sadisme exquis, telles l'éventration et la castration préalables, pour s'achever en douceur par le largactil. On peut dire que l'opération est terminée en 1968 lorsque pour la première fois on rapporte l'hypersalivation. Alors, on a dû lui dire:

— Mariette, parle comme tu voudras avec une voix d'égorgée, c'est ton affaire; seulement il serait plus poli de ta part d'avoir un mouchoir à la main pour t'éponger la bouche.

Depuis, elle en garde toujours un, humide, avec son long chapelet. Quand elle monte avec moi de Sainte-Agathe à Sainte-Rita, c'est dans la droite qu'elle le tient, ayant posé sa gauche sur mon avant-bras comme une dame à son chevalier. Une fois rendue en haut, elle le fait passer dans sa gauche pour donner la main, une main mouillée, un peu répugnante, à l'hospitalière, à son assistante, et prendre congé tout en bafouillant des mots aimables et choisis.

Au lieu de hocher la tête d'un air entendu à la manière des sourds, j'aurais aimé savoir ce que Mariette me disait et lui répondre. Un magnétophone lui eût peut-être permis de sortir de soi, de s'écouter du dehors et de réapprendre à parler. Je fis la demande de cet appareil, en vain. Je commis alors l'erreur d'insister sur l'atrocité des traitements que Mariette avait subis. Dans l'Olympe du Bourget où jamais on ne se trompait, que ce fût au présent, au passé ou au futur, cette Mariette n'avait plus droit à rien: elle outrageait les demi-dieux, coupable de lèse-médecine. En m'associant à son crime, je n'avais pas bonne mine; je montrais qui j'étais, un athée et un usurpateur. On se plaignit de moi à Monsieur le Surintendant, lui-même fort sceptique, par bonheur. L'affaire s'arrangea plus ou moins. Je n'obtins pas le magnétophone, cela va de soi, et je ne le regrette pas. Encore fallut-il que j'apprisse enfin ce que Mariette avait à me dire.

Or voici: dans la salle Sainte-Hélène, geôle de la psychiatrie, qui précédait immédiatement Sainte-Agathe aux confins du pavillon Sainte-Marie, il y avait une mutique qui restait dans son cabanon. Internée toute jeune, à quinze ans, elle eut la permission de revenir à la maison et prévint alors sa mère que si on la retournait à Saint-Jean-de-Dieu, jamais plus elle ne parlerait. Sa mère l'y retourna: depuis vingt-huit ans, elle n'a pas dit un seul mot. En 1970, en même temps que moi, s'amènent à Longue-Pointe Philippe et Edmée Koechlin, apôtres de la douceur, ennemis de toute contrainte, champions libérateurs. Ils prennent charge de Sainte-Hélène et consacreront une année à ses dix-sept recluses, dont Céline, la mutique, qui les intéresse tout particulièrement. Ils s'insinuent auprès d'elle, tous les moyens sont bons: ils jouent au papa et à la maman psychiatres. Chaque jour Philippe s'assoit auprès d'elle, lui parlant sans la toucher, tandis qu'Edmée lui tient la main. Ces gens saugrenus, ahurissants, auxquels Céline ne s'attendait pas, venus spécialement pour elle de France, lui expliquant qu'«ils l'aiment comme une de leurs filles». Et ils l'amènent se promener en auto. Comment Céline, après sa longue ténèbre, toute éblouie par la lumière, n'aurait-elle pas parlé? Elle parla, mettant fin à ce mutisme de vingt-huit ans qui faisait toute sa grandeur. Elle se rendit compte de sa perte quand ces parents impromptus, tout fiers d'eux-mêmes, rentrèrent en France pour y célébrer leur exploit dans un livre paru chez Maspero en 1973, *Corridors de sécurité*. Céline dira de Philippe Koechlin qu'il «avait une maudite face de serpent» et qu'ils étaient tous deux «des voleurs d'âme».

Ils l'étaient, en effet, puisque sous des prétextes humanitaires ils avaient abusé d'elle pour la dépouiller du prodigieux silence dans lequel, démunie de tout, dans le plus grand désarroi, elle avait investi tout son cœur, toute son âme. C'est par le silence de Céline que j'ai appris ce que Mariette avait à me dire avec ses mots hachés menus sur une plainte trachéale, qu'on lui avait arraché la voix comme une dent avec un davier sanglant. Eût-elle réappris à parler, elle se fût avilie à des futilités, devenant une petite vieille quelconque. Au travers de ses supplices, elle, la toute simple, l'affectueuse, la pigeonneuse, elle avait acquis une irremplaçable grandeur. La voix d'égorgée restait sans remède. Mariette avait atteint à une sorte d'absolu devant lequel on n'a plus rien d'autre à faire qu'à s'incliner humblement.

VII

L'utopie communiste favorise l'égalité des sexes. La révolution d'Octobre jeta l'interdit sur les bordels de la Sainte-Russie. Dans le reste de la chrétienté, ils restèrent compatibles avec les bonnes mœurs. À Rome, désignés sous le nom de lupanar, ils n'avaient pas empêché la proclamation de l'Immaculée Conception. Les putains n'y gagnèrent rien, mais le statut des dames et des demoiselles en fut relevé. Dieu, prenant parti pour leur sexualité, y trouvait moyen de forniquer en toute chasteté. L'Empire britannique, pour sa part, à son apogée sous la reine Victoria, avait classé le bordel parmi les installations essentielles aux ports de mer. À Montréal, tête de l'estuaire du Saint-Laurent, l'Église et l'Empire, tout en condamnant la prostitution, en approuvaient l'installation, localisée dans un quartier réservé, le *Red Light*, compris entre Saint-Denis et Saint-Laurent, Sainte-Catherine et Dorchester, plus achalandé à mesure qu'on se rapprochait de la *Main*, la débordant même à l'ouest sur Stanley.

Dans les maisons closes, on enfermait les filles de joie pour les livrer à l'impudicité publique selon des règles déterminées, un tarif convenu et même un certain cérémonial. La discipline de ce conglomérat reposait en dernière instance sur Fullum, la prison des femmes, la seule qui fût dans la cité. Les prisons d'hommes, Bordeaux et Saint-Vincent-de-Paul, étaient situées au-dehors de la périphérie urbaine. Les sexes n'étaient pas justiciables de la même façon. Dans l'ordre des châtiments, l'exclusion frappait l'homme, l'enfermement marquait la femme. À l'origine, faute de prison, on recourait à la justice sommaire: exilé ou pendu, le criminel était exclu tout de bon, tandis que la femme, honnie et fustigée, n'était jamais bannie. L'inconduite la ramenait à son sexe qui, considéré bien commun, ne pouvait lui être imputé à crime puisqu'elle en était la première victime. L'ordre public était donc maintenu dans la ville en la purgeant de tout mal à l'exception d'un seul, inévitable et nécessaire, d'une énergie gardée sous pression par le rigorisme des mœurs, le mal dont les femmes étaient la cause et qu'on entretenait sur place par la prostitution. Quel beau système c'était! Il fallait vraiment que les bolchéviques, avec leurs grosses moustaches, fussent des barbares pour en avoir entrepris la démolition! Une secousse peut parfois se faire attendre longtemps après l'ébranlement. La leur n'en faisait pas moins le tour du monde; elle atteignit Montréal un quart de siècle après, durant la dernière guerre. L'Armée canadienne, alors toute-puissante, ferma les bordels. Elle invoqua un prétexte sanitaire. Même alliée des Russes, elle ne pouvait pas se réclamer de la révolution d'Octobre. L'interdit s'avéra néanmoins durable. En 1954, il n'y avait guère plus de maisons closes dans la chrétienté hors de l'Espagne, dernier bastion de la moralité ancienne. À Montréal, cet interdit entraîna le déplacement de la prison des femmes de Fullum à Tanguay, sa transformation en lieu d'exclusion comme Bordeaux et Saint-Vincent-de-Paul, de même que l'internement d'Hélène Brazeau, fille d'Odina, prostituée notoire, qui vénérait sa mère.

Ah! la pauvre Hélène! Dans une maison publique, sous la gouverne de la maquerelle, elle se serait vouée de tout son corps au service de l'homme, comme tant d'autres avant elle dont on n'a jamais entendu parler. Faute de cette discipline, elle ne parviendra guère à exercer ses dispositions naturelles. Fille de rue, brandissant trop haut son guidon, l'étendard antique du putanat, elle n'allait pas loin qu'on l'avait déjà ramassée. Placée à Lorette, elle s'en évade et se retrouve en prison. On la relâche, elle y revient, pensionnaire assidue. Au cours d'une de ses sorties, elle demande à un ami d'enfance, garçon boulanger: «Ti-Dame, fais-moi l'amour.» Ti-Dame de s'y mettre dans la voiture de livraison qui fleure bon le pain. «Mais le cochon, il me fait un enfant par-dessus le marché.» Cet enfant, elle l'aura à la Miséricorde. Après cette malchance et quelques autres incarcérations, la mesure déborde. On a usé envers elle de longanimité, comptant peut-être sur le rétablissement des maisons closes où elle aurait travaillé comme en atelier protégé. Au bout de dix ans, aucune n'a été rétablie, on ne peut plus attendre: le 13 mai 1954, Hélène est conduite à Saint-Jean-de-Dieu en tant que «personne irresponsable, incorrigible, impénitente, manifestement atteinte de débilité mentale», et qui, de surcroît, «se prétend persécutée».

Persécutée? Oui, forcément. Le train du monde est-il dérangé en secret, de façon concertée, qu'on en subit les conséquences. Cherche-t-on à s'en expliquer, y flaire-t-on une provocation, a-t-on l'outrecuidance de s'en plaindre, aussitôt vous apprenez que la paranoïa vous travaille et que vous souffrez d'un délire d'interprétation. Sans les Événements d'octobre où j'en avais trop appris, jamais je n'aurais établi un lien entre le cas d'Hélène Brazeau et une des conséquences de la Révolution russe qui se manifesta à Montréal au moment où Hélène s'apprêtait à suivre les traces de sa mère Odina dans le putanat local. Elle y aurait exercé sa profession à la fois humble et noble, vouée comme la médecine aux soins corporels, et peut-être serait-elle aujourd'hui retirée en banlieue avec son bon ami et un singe capucin dans une villa coquette, comme une de ses collègues, à peine plus âgée, qui m'honore de sa confiance. Au lieu de ça, on l'interne.

Elle a trente-deux ans. Ses pérégrinations sont finies, mais elle ne s'en rend pas compte, considérant en Saint-Jean-de-Dieu un couvent de campagne où on lui fera la leçon et dont elle se tirera une autre fois. Hélène est une personne entière. Elle n'a jamais obéi qu'à son plaisir, en toute innocence, ne connaissant pas d'autres bienfaits que ceux de l'érotisme. Sur ce principe, elle reste irréductible. Elle conserve des dispositions professionnelles, la main leste et rapide à détecter une velléité virile, et le sourire bienveillant, amusé. Ainsi, sous le prétexte de se confesser, a-t-elle abusé d'un pauvre abbé trop candide, qui, ridiculisé, y perdit son latin et ses fonctions d'aumônier. Mais on était désormais prévenu contre elle: ce haut fait ne se répéta pas. Peu à peu Hélène se rendit compte que Saint-Jean-de-Dieu n'était pas une simple maison de redressement dont on finirait par la relâcher. Alors elle tenta de s'évader. Le 25 janvier 1957, la police la ramène nue, criant de rage, s'arrachant les cheveux. Ce n'est qu'en 1959, cependant, qu'elle perd tout espoir de s'échapper. Le 1er septembre, elle se taillade la gorge avec des ciseaux: plaies béantes, mal recousues. Le 5 décembre 1959, puis le 5 mai 1960, elle recommence. On doit la garder sous contrainte. Elle reçoit des électrochocs du 2 février au 26 avril, puis, le 9 novembre 1960, on lui fait une lobotomie qui, tout en lui enlevant le goût du suicide, déclenche une série de paralysies faciales alternantes, soit gauche, soit droite, qui la défigureront jusqu'en 1964. Elle garde la manie des ciseaux, mais se contente de se couper le toupet. Ces paralysies lui ont laissé un visage un peu figé et une supposée phobie pour la lumière: les yeux à demi clos, elle feint de ne rien voir, mais rien ne lui échappe. Une sorte de sérénité baigne sa physionomie. Elle n'a pas renoncé mais se tient plus distante dans l'attente du miracle qui la délivrera. Elle ne marche pas mais parade sur ses souliers à talon haut comme le faisaient ces dames dans le salon du bordel lorsque la maquerelle les présentait à un client. Son toupet coupé, son pauvre cou balafré et son âge aussi (car en 1970, elle touche à la cinquantaine) la rendent encore plus impressionnante, comme si, après en avoir été la prêtresse, elle était en train de devenir une des divinités de l'amour, Aphrodite ravagée par les siècles, qu'on exhume et dont on reconnaît aussitôt l'immortelle jeunesse. Hélène, toujours impénitente, s'exprimait en toute innocence, d'une voix haute et quasi enfantine.

Durant l'été de 1970, je la donnai en analyse à l'illustre Professeur Gérard Bessette, de Kingston, alors en année sabbatique à Montréal où derrière la verdure, les papillons et les fleurs, on fricotait les Événements d'octobre. Qui ne connaît le Professeur, gloire de nos lettres? Il n'a écrit que de bons livres, tous de facture différente et tous remarquables par la facture, même le dernier, *Le Semestre*, où il expose magistralement les affres hystériques que lui a causées déjà le coxsackie, un virus anodin. Une certaine amitié nous liait encore. À cette époque, il avait l'oreille tournée vers la pluralité du discours, particulièrement attentif aux voix obscures de la cinesthésie, antérieures à celles du discours réfléchi, et il rêvait d'un livre sur les singes en train de virer hommes. Rosny Aîné, sans doute un de ses auteurs, en avait déjà écrit un, *La Guerre du feu*, une manière de super-Thériault. Lui, voilà la différence, il l'écrirait de l'intérieur du singe. Il l'a fait depuis et c'est assurément une grande tentative de générosité. Quand il m'en parlait, je trouvais son propos incongru et ne lui prêtais pas plus d'attention qu'aux propositions d'un ancien militant de l'Ordre de Jacques-Cartier de devenir le docteur Bethune du F.L.Q., me défiant du singe autant que de la police.

Le Maître avait donc accepté de prendre ma chère

Hélène en analyse et se mit à venir à Saint-Jean-de-Dieu deux fois par semaine dans sa Valiant rouge chinois, l'auto qu'il a décrite dans le Semestre comme un véhicule infernal, au demeurant tout ce qu'il y a de plus pépère. Il la laissait dans les jardins de Lourdes pour monter à Sainte-Rita où nous lui amenions Hélène à qui nous l'avions présenté comme un grand spécialiste intéressé à son cas. Il la verra du 26 mai au 30 juin 1970, enfermé seul avec elle dans le petit parloir. Nous ne les laissions pas ensemble sans arrière-pensée en nous rappelant l'aventure de l'abbé Lafontaine. Dieu merci! par son maintien d'universitaire ontarien et grâce aussi, peut-être, à son ton nasillard, il sut imposer à Hélène une retenue qui nous surprit et nous déçut quelque peu. Il a laissé un rapport de tous ses entretiens. Je les garde précieusement, me promettant de les confier un de ces jours à la Société royale dont il est le plus beau fleuron, ou à la famille Molson.

Il fut pour Hélène un sujet de distraction. Elle le lorgnait à sa façon, bien à elle, de feindre de ne rien voir, tout en restant aux aguets. Le 26 mai, elle lui déclare qu'elle garde les yeux fermés de peur que le soleil ne les blesse. Elle les ouvre à quinze heures et à vingt et une heures, assez imprécise sur la nocivité des autres heures. Elle craint surtout d'être aveuglée vers sept heures du soir.

— Avez-vous une montre?

— Oui, un homme m'en a donné une au restaurant.

— À quelle heure? demande Bessette, croyant la prendre en défaut.

— Entre une heure et deux, répond Hélène.

Elle a quand même deviné son intention et quitte aussitôt le jeu des yeux et du soleil pour une description de son séjour chez les Gariépy, un foyer d'hébergement où, ne sachant pas qu'on la gardait attachée par la cheville en la salle Sainte-Rosalie, je l'ai envoyée à la fin d'avril. Elle y a passé dix jours. Chaque nuit, elle se levait pour tomber sur Monsieur Gariépy, sans pantalon et vigilant.

— Pourquoi vous leviez-vous? Et pourquoi vous surveillait-il?

Elle fouillait dans les tiroirs, y cherchant des briquets. Il lui arrivait d'en trouver.

— Qu'en faisiez-vous?

Elle les cachait dans son corsage, allait se recoucher pendant que le bonhomme faisait de même. Alors elle tentait de les allumer, mais en vain: ils ne faisaient que des flammèches. On eut peur quand même qu'elle ne mît le feu à la maison et on la ramena à Saint-Jean-de-Dieu.

Le 2 juin, Hélène porte des lunettes neuves, mais ne peut toujours pas ouvrir les yeux par peur du soleil. Elle explique à Maître Bessette comment elle s'y prend, chaque soir, pour les laver: avec l'index, le pouce serait trop dangereux. Cela dit, elle les ouvre tout grands quelques instants, et son thérapeute de se demander si elle ne les garderait pas fermés par sentiment d'impureté. Cela lui semble probable: «Elle souhaiterait, écrit-il doctement, qu'un doigt phallique la purifie une fois pour toutes.» Voire! Hélène est toujours restée incorrigible, impénitente, et peut tout aussi bien garder les yeux clos pour conserver un désir inavouable auquel elle tient comme à sa prunelle. L'insistance du Professeur l'amuse. Comme il revient à la charge et tente de lui faire préciser à quelle heure le soleil est le plus nocif, il s'attire cette réponse admirable, ce vers parfait:

— L'année m'endort à toutes les minutes.

Ne serait-ce que pour ce vers, je ne regretterais pas de lui avoir donné Hélène en analyse. D'ailleurs ne s'est-elle pas déjà expliquée de son jeu d'ombre et de lumière en lui contant l'histoire de la poule blanche et de la poule grise? Qu'on se les imagine dans le petit parloir, face à face, séparés par une petite table en bois, lui imperturbable et tout raide, elle plus détendue, avec son cou balafré, son toupet coupé et son sourire amusé, quelque peu ironique.

Il y avait donc deux poules, l'une blanche, l'autre grise. Sa tante les a attachées à la patte du poêle. La blanche s'échappe, le temps de le dire, on la rattrape et tue à coups de hache. Le sang gicle dans un nuage de plumes blanches.

— Et puis? demande le Professeur.

— C'est tout.

— Et la poule grise?

Hélène se tait: n'était-elle pas la poule grise attachée à la patte du poêle? Seulement elle ne saurait se voir et ne peut l'affirmer. Tout ce qu'elle a vu, c'est la mort de la poule blanche, dans un nuage de plumes et de sang. Et elle ferme les yeux afin de ne pas revoir cette mort qui n'en finit plus. Elle est à la fois les deux, la blanche et la grise.

Après trente ans de réclusion, elle n'acceptait pas son sort. Elle s'était rabattue sur un dernier espoir, inaltérable, que sa mère Odina, la bonne amie des échevins et de la police, viendrait la délivrer. Qui l'aurait crue? Et elle attendait, nous n'y pouvions rien. Or, contre toute vraisemblance, elle ne se trompait pas. Un après-midi de mars, en 1971, une septuagénaire, l'œil vaporeux, le regard aigu, quelque peu branlante, se présente au Bourget et demande à voir sa fille, la petite Hélène. Celle-ci nous avait prévenus: sa mère ne mangeait jamais et ne se nourrissait que de bière. Nous l'envoyons chercher. Elle nous arrive épuisée, comme saoule, en tout cas égarée, disant que Sainte-Rita, la dernière salle de l'asile, était au bout du monde et qu'elle n'aurait jamais cru qu'Hélène, à peine arrivée une décennie tout au plus, qui aurait trente ans et non cinquante et un, fût enfermée si loin. Et de nous expliquer sa venue: le vieil Anglais, son concubin, vétéran des deux guerres, est allé se faire dorloter au Queen Mary's Hospital. Seule, elle s'est mise à s'ennuyer de sa fille. Alors quoi! elle vient la chercher.

Pour combien de temps? Une semaine ou deux, aussi

longtemps qu'Eddy ne sera pas revenu à la maison. Seulement qu'on ne pense pas à la retourner de Sainte-Rita au Bourget! Non, qu'elle se rassure. Je signe le congé d'Hélène, vite on lui trouve un manteau dans la lingerie de la salle, un beau chapeau, genre Madeleine de Verchères, et le taxi est déjà à la porte, en arrière du pavillon Sainte-Marie, venu par le chemin de circuit. La vieille Odina Brazeau n'a plus guère la force de se tenir sur ses jambes. Une gardienne, celle-là même qui est allée la chercher au Bourget, la soutenant par le bras, l'aide à descendre le petit escalier que je prends, chaque matin, et la met dans le taxi, à côté d'Hélène. Alors, nous, le front contre la vitre, nous les regardons partir comme s'il s'agissait d'un prodige.

C'en était un, ma foi! Qu'en résulterait-il? Nous n'en voulions rien savoir. On ne l'apprendrait que trop tôt. Celui-ci n'annonçait rien de bon. Dieu merci, tout s'arrangera. Deux jours plus tard, ce fut la mère, non la police, qui ramena Hélène. La vieille Odina resta en bas, dans le taxi. Nous ne saurons guère ce qui s'était passé durant ces deux journées-là. Hélène ne nous parla guère que du magasin du coin où elle avait chapardé quelques menus objets, dont une paire de ciseaux et un briquet, bien entendu. C'était dans un quartier étrangement désert, sans vie, aux antipodes de la ville qu'elle avait connue autrefois, à Saint-Henri. Son délire, assez pauvre jusque-là et qui avait déçu son analyste, s'enrichit alors d'extraordinaires serpents qui la rejoignaient au lit et qu'elle tentait en vain d'apercevoir en dessous des couvertures, faisant flamber des allumettes au risque de mettre le feu au dortoir. Elle cessa d'attendre sa mère, la putain illustre, naguère objet de son adoration, comme si, enfin, un peu plus folle qu'auparavant, elle avait pris parti de rester enfermée à Saint-Jean-de-Dieu.

VIII

Rachel Chrétien avait deux roses tatouées sur la plage des cuisses. On ne pouvait s'attendre à trop de vertu de sa part. Elle fréquentait les voyous de son quartier qui, eux, se faisaient tatouer des dragons ou des serpents sur les bras. Je l'avais libérée. Un matin, je la retrouve à Sainte-Marie.

— Qu'est-ce que tu fais ici, Rachel Chrétien? Je t'ai jetée dehors, le mois dernier.

— C'est Tanguay qui me renvoie: j'ai mis le feu à une poubelle et me suis fait pincer.

— Grosse bête, il fallait rester à Tanguay! On t'aurait fait un procès, tu aurais écopé deux ou trois jours de prison. Au lieu de ça, tu te laisses renvoyer ici comme une innocente, irresponsable de ses actes. Tu devrais savoir qu'on ne met pas le feu dans une poubelle!

Je venais de retracer une pauvre vieille, internée depuis vingt ans pour un petit délit, vol à l'étalage. Il avait fallu obtenir une levée d'écrou avant de l'envoyer dans un foyer d'hébergement.

— Au lieu de payer ta peine par deux ou trois jours de prison, pour peu qu'on t'oublie, Rachel Chrétien, tu resteras ici jusqu'à ce que les dents te tombent.

Nul n'a le droit de juger son semblable, par contre il est permis de sanctionner un délit. Un faible d'esprit en commet-il un, on le juge comme quiconque, car il n'est pas dénué de toute responsabilité.

— La prochaine fois, au lieu de te laisser traiter de folle, tu lui diras, au psychiatre de Tanguay, que tu as droit à la responsabilité de tes actes, m'as-tu compris, Rachel Chrétien?

Certes, elle n'était pas responsable de tout, mais on ne la réadaptera jamais en la tenant responsable de rien. Il me fallut attendre une semaine ou deux avant de la déclarer guérie de sa débilité, obtenir une levée d'écrou et la relâcher.

— Et que je ne te revoie plus jamais!

Marie-Rose Patenaude, elle, n'avait pas de roses tatouées sur la plage des cuisses. Après avoir été une excellente sujette des Sœurs de la Providence, elle décida de parfaire son éducation en explorant Montréal et devint une championne de l'évasion à ses risques et périls, et à ses frais puisque les évadés ne touchent aucune pension. Après sa deuxième équipée, la psychologue nota une amélioration mentale, probablement parce qu'elle avait acquis des notions nouvelles. En 1970, à peine transférée du Mont-Providence à Saint-Jean-de-Dieu, elle repart à la conquête du vaste monde. Six mois plus tard, la police nous la ramène, étonnante, avec une perruque blonde, déguisée en catin. Son nom, Marie-Rose Patenaude, n'étant plus à la hauteur, elle nous annonce que dorénavant elle s'appelle Brigitte Bardot. Cela ne l'avait pas empêchée de manger de la misère, à en juger par sa saleté. Décrassée, elle passe à l'examen médical. Là, elle nous déclare qu'elle a eu un enfant et je fus à même de constater qu'une débile a de la logique, une logique qui l'emporte sur la réalité. L'examen révélait un col utérin de nullipare.

— Brigitte, cet enfant, où l'as-tu eu?

— À l'Hôpital Notre-Dame.

— Où est-il maintenant?

— À Sorel, chez mon père.

— Un bel enfant?

— Il lui manque un bras.

Après ce bras, ce fut l'autre qu'il perdit, puis les deux jambes. Au demeurant, il se portait bien. Elle avait été le voir, la semaine dernière.

— À Sorel?

Or, Brigitte n'a ni père ni mère. Aussi en rabat-elle, du père, passant à une belle-mère, puis à une vieille non apparentée. De plus, il est évident qu'elle ne connaît rien de Sorel. Je me rappellerai alors qu'avant ses fugues elle a reçu quelque enseignement au Mont-Providence sur les relations charnelles de l'homme et de la femme, qui les transforment aussitôt, au dire de Sœur Jean-Dominique, son éducatrice, en père et mère d'un enfant. Et voici ce que la petite Brigitte veut m'apprendre: en se faisant valoir dans les boîtes de nuit, il lui a fallu passer à la casserole. Persuadée que dans mon esprit, ce n'est pas une bagatelle mais l'acte même de la procréation, elle ne peut se permettre un illogisme, et c'en aurait été un que de ne pas avoir d'enfant — plus qu'un illogisme, une anomalie. Elle a donc essayé de me faire comprendre sa conduite, quitte à amputer l'enfant de ses membres et à l'expédier dans une contrée inconnue, aussi loin qu'à Sorel.

— Bon, je comprends: tu cherches à m'expliquer que tu as commencé d'aller en chambre. Il le faut bien quand on s'appelle Brigitte Bardot.

Je lui fais donc donner la piqûre vétérinaire qui bloque l'ovulation durant plus de six mois et lui trouve une place à Fatima. Le niveau y est si bas que personne ne fume. Sur l'hospitalière, une Religieuse douce et timorée, Brigitte Bardot, avec sa perruque, fait l'effet d'une lionne.

— C'est une bonne fille, ma Sœur, qui vous sera utile, vous verrez. Elle n'a qu'un seul défaut, celui de fumer. Laissez-la sortir quand le goût lui en prendra.

La Religieuse s'inclina. Dès le lendemain, Marie-Rose Patenaude était de nouveau en évasion. Je n'en fus pas trop surpris ni trop fâché: à se tirer d'affaire elle-même, durement, sans pension de l'État, elle œuvrait à sa réadaptation mieux que sous la tutelle d'un travailleur social. La prochaine fois qu'elle nous reviendra, elle ne sera pas obligée de raconter l'invraisemblable histoire de l'enfant-tronc et peut-être finira-t-elle par avoir, comme Rachel Chrétien, deux roses tatouées sur la plage des cuisses.

J'avais deux sortes de recluses susceptibles d'être libérées. Celles qui disposaient d'une famille pour les reprendre. Et les autres, telle Marie-Rose Patenaude, alias Brigitte Bardot. Les premières ne cessaient pas de renoter le souvenir de plus en plus lointain des années passées chez elle avant leur internement. Certaines ne doutaient même pas, après quinze ans de réclusion, de leur retour. Marie-Louise Mathieu était une grand fille simple et hautaine, originaire de la campagne, qui méprisait ses compagnes de Sainte-Catherine. Ses parents l'avaient placée à Saint-Jean-de-Dieu en lui expliquant que c'était «pour y soigner ses nerfs» et qu'ensuite ils la reprendraient. Ils ne l'abandonnèrent pas d'ailleurs et venaient la voir régulièrement. Chaque fois Marie-Louise se déclarait guérie, chaque fois ils la remettaient, mais elle ne cessait pas de croire en leur parole. Enfin, après quinze ans, ils se décident à lui dire la vérité:

— Non, Marie-Louise, n'y pense plus, tu ne reviendras pas: ta place est ici.

Marie-Louise ne leur fit aucun reproche. Elle resta consternée et ce fut son corps qui parla. Elle qui marchait droite, la tête haute, développa une arthrite rhumatoïde des genoux foudroyante. En moins de six mois, elle ne se déplaça plus qu'en chaise roulante. Pourquoi aurait-elle continué de marcher puisqu'on ne l'attendrait plus jamais chez elle?

Un jour, nous arrive à Sainte-Rita en ambulance, d'un hôpital anglais, Louiselle Saint-Arnault, déjà connue à

Saint-Jean-de-Dieu par un neurologue qui admire chez elle
le singulier talent de simuler à la perfection une crise d'épilepsie. Ce talent lui a joué un mauvais tour: à la suite d'une
peine, elle entre à Notre-Dame en état de mal épileptique;
les crises convulsives se répètent d'une façon subintrante,
l'une ne finissant pas qu'une autre recommence. Pour l'en
délivrer, on lui fait une lobotomie. Deux ans après, la voici
enceinte au Montreal General Hospital, où, jugée inadap-
tée à la procréation, on lui enlève tout, la matrice et son
contenu. C'est alors qu'on me l'expédie pour que je la
garde internée à jamais, étant donné qu'elle n'a ni conduite
ni discernement. De plus, on me signale qu'un quinquagénaire répugnant, son maquereau, ne cesse pas de tourner
après elle pour l'inciter à la prostitution. Louiselle est une
jolie fille, primesautière, généreuse, toujours prête à aider
et sachant le faire avec grâce.

Le lendemain, bien entendu, se pointe ce maquereau,
un bien piètre, qui n'annonce pas sa profession, un
dénommé Évaque Giroir, originaire de la Petite République de Madawaska, un Brayon, d'une race intermédiaire
entre le Québécois et l'Acadien.

Sans respect, on n'est d'aucun secours dans les asiles.
On le développe en connaissant l'origine des recluses et
leur parenté dont elles restent tributaires même si elle les a
trahies. Elles ont à cœur leur biographie autrement que le
diagnostic qui les stigmatise. Rien de plus facile que celui-
ci: un coup d'œil y suffit; c'est un procédé pour mettre la
folie dans les formes, jeter la folle dans une boîte et rassurer le médecin. Combien plus complexe la biographie!
Combien plus bénigne! Elle n'a rien d'un verdict comme le
diagnostic qui comporte thérapie et supplice. Elle ne con-
damne pas et cherche à comprendre, c'est tout.

— Pourquoi vous appelle-t-on Brayon? avais-je déjà
demandé à un de ses compatriotes.

Après un moment d'hésitation, il répondit:

— Parce que nous mangeons des phoques.

Des boulettes de sarrasin qui bouchent la faim, de la même couleur que le brai dont les Acadiens étanchent leurs barques. Évaque, le Brayon, est à la fois homme d'entretien et gardien dans une laiterie. Après avoir mangé de la misère de Saint-Quentin à Montréal, il détient enfin un emploi stable et s'est même mis un petit peu d'argent de côté. À cinquante et un ans, il respire enfin et cela lui donne accès aux sentiments. Et il a vu Louiselle. Il est monté aux zéniths: il l'adore tout simplement. C'est la raison pour laquelle il vient la relancer à Saint-Jean-de-Dieu. Elle, elle est tout étonnée par l'amour de cet homme, de vingt-cinq ans son aîné, qui pourrait être son père. Justement, il la met en confiance et la calme comme un père.

Lui, un maquereau? Je me demandai pourquoi le jeune confrère, d'un nom aussi français que le mien et qui me l'écrivait en français, l'avait jugé tel. Louiselle lui avait paru probablement désirable, sans qu'il pût se permettre de la toucher, ni même d'y penser, plus anglais qu'un Anglais comme il arrive souvent à qui s'applique à le devenir. Alors il aurait interdit à personne de l'approcher, surtout pas au pauvre Évaque, ce quinquagénaire transi dont les intentions affectueuses offensaient son propre désir. On ne sait pas trop ce que contient une décision médicale, une incapacité de concevoir une société chaleureuse, hors des normes froides de la bourgeoisie, une préférence pour l'anamnèse, un mépris pour la biographie et souvent une passion rentrée, un racisme pire que le racisme lorsqu'on prend les siens en aversion. Ce petit confrère anglomane, sûr de son diagnostic, s'était pris à son piège,

La difficulté de la biographie résidait dans la complexité du noyau familial, où le même prénom pouvait servir deux fois, Mathieu être à la fois frère et beau-frère, Louise tante et sœur. On ne devait pas s'y tromper, même s'il ne se distinguait que par la place dans le discours que vous tenait d'eux une folle dans une salle d'asile. Elle continuait de vivre dans un monde où la simple énumération de noms était fondamentale. Avant tout autre soin, c'était la moindre des convenances que de savoir apprécier sa chanson de geste, mais quelle attention elle exigeait!

Un jour, un vieillard vint me consulter; il s'appelait Adoris.

— Il ne doit pas y avoir beaucoup d'Adoris?

— Non, Monsieur, il n'y a que moi au monde.

Je le félicitai, Évaque était aussi un astre rare.

La folie n'est pas l'appendicite qu'on te coupe, rhabille-toi, mon gars, et retourne à la maison, que tu t'appelles Jacques ou Mathieu, n'importe, pourvu que tout soit recousu. Mais chez les fous et les folles, le nom compte d'abord et tous les autres qui tournent autour du sien dans une constellation qui illumine un hameau, un village, une rue, un faubourg et, plus vague, un pays. Toute la poésie de cette cosmologie a préséance sur la médecine: on commence par elle et l'on soigne ensuite. Quand un nommé Évaque Giroir vient de Saint-Quentin, dans la Petite République de Madawaska, pour présenter ses hommages à la petite Louiselle, il faut être un insensé, tout médecin qu'on soit, pour faire de ce roi mage un maquereau.

Il lui demanda sa main. N'ayant pas à me faire de souci de progéniture, je remis Louiselle en congé aussitôt. Le mariage eut lieu dans une église du centre de Montréal, un samedi, en fin d'après-midi. Il n'y avait pas grand-monde. Je ne fus pas sans remarquer la présence de deux Sœurs de la Providence. Elle me parut de bon augure. Ces dames me suivaient sans peine dans mes audaces pourvu que l'honneur de Dieu soit sauf. Dans cette affaire, ce n'était pas l'honneur de Dieu que je risquais ni le bonheur de Louiselle, mais celui d'Évaque, le Brayon austère et candide, le supposé maquereau.

IX

Un homme peut ressembler à un vilain singe, une femme, jamais. C'était là mon opinion. Quand on me donna la préférence entre les salles d'oligophrénie du côté des femmes et du côté des hommes, je choisis les premières sans aucune hésitation.

— À votre guise, mais vous en verrez de toutes les couleurs.

Et l'on me raconta l'histoire de la pauvre innocente qui, grosse jusqu'aux yeux, avait sauté la clôture pour avoir son enfant Dieu sait où, dans les champs peut-être. C'était là une légende du Bourget, le palais gouvernemental de Saint-Jean-de-Dieu, car le Bourget, nonobstant la qualité de son monde, entretenait ses rumeurs et ses légendes comme l'asile, les siennes.

Un mois ou deux plus tard, installé derrière la grand-table du psychiatre dans la salle Sainte-Marie, à mon apogée d'usurpateur, je retrouve l'innocente de la légende. Elle se nomme Claire McComeau. Je l'ai déjà connue au Mont-Providence. On la garde en robe de chambre, tel le vieux Paul Morin qui, à sa gloire de poète, ajoute la prétention d'être le roi des chauffeurs, l'homme qui, à Montréal, dépense le plus en taxis. On le retient ainsi au logis. Autrement il gaspillerait en moins d'une journée les trois petites pensions qu'on lui sert, chaque mois, afin qu'il finisse ses jours avec décence. Mais alors que le vieux poète rugit, rappelle ses splendeurs passées, évoque les noms d'Anna de Noailles et de Robert de Montesquiou, Claire se tait, observe, guette une occasion de retourner dans la fabuleuse patrie qu'elle a découverte.

Cette fille de Ville-Émard ne s'entend pas du tout avec son père, ancien sergent de l'Armée canadienne, petit employé municipal, autoritaire, brutal, à qui elle ressemble d'ailleurs. Comme lui, elle ne compte pas sur sa mère, Fleurette, accablée d'enfants, effarée au milieu d'un ménage en désordre, toujours à geindre et à se prétendre malade. Alors, très tôt, décidée et têtue, Claire a fui la maison afin de prendre son sort en main. Mais son père est aussi entêté: chaque fois qu'elle part, il la dénonce. À la fin, elle se retrouve à la Prison Tanguay d'où on l'envoie au Mont-Providence comme faible d'esprit, parce qu'elle n'a guère de scolarité. On est en 1966. Il lui reste encore quatre ans avant d'atteindre sa majorité. «Elle parle constamment de mariage, note le médecin de Tanguay. Ses projets d'avenir sont insensés.» Mais Claire s'y obstine et ne compte que sur elle-même pour les réaliser. Au Mont-Providence, elle fit comme à la maison et par deux fois s'évada. Ce ne fut pas pour rien: elle se trouva un chez-soi, le milieu propice où elle n'était pas plus faible d'esprit qu'une autre, très loin de Ville-Émard, dans un petit village que, de la Prison Tanguay, le médecin ne pouvait imaginer.

Lors de sa première évasion, elle rencontre Gérard Le Bouthiller, un jeune Acadien en virée à Montréal. Il lui dit connaître une femme en son pays qui sera heureuse de la recevoir comme sa propre fille. Et Claire de suivre le jeune Acadien. Cette femme rare existe, Madame André Murty, née Richardson, sans enfant, dans la soixantaine, qui vit avec un mari septuagénaire et son frère Livain, un vieux garçon dans la quarantaine: elle raffole de la jeunesse et deviendra pour Claire une vieille amie, sinon une mère pleine d'indulgence. La deuxième fois, connaissant le chemin, Claire n'a besoin de personne pour redescendre à

Saint-Amateur. Ces deux évasions auxquelles succéderont celles de Saint-Jean-de-Dieu où, à dix-huit ans, elle fut transférée et restera jusqu'à sa majorité, lui permettront de se familiariser avec l'arrière-pays de Caraquet et de Tracadie, si bien qu'elle en prit l'accent chantant et le parler pointu.

Du Mont-Providence, on ne l'a pas remise à sa famille qui ne l'aurait reprise que pour en tirer pension tout en la plaçant comme domestique dans une famille du voisinage. Une enquête l'avait révélé. On jugea donc que la meilleure façon de la réhabiliter était de la mettre à Saint-Jean-de-Dieu. Cette façon ne convenait en rien à Claire McComeau qui, décidée et têtue, a désormais la sienne de le faire: admise en avril 1967, elle s'évade dès le 1er mai. Le 6 juillet, elle revient d'elle-même sur le conseil de ses amis de Saint-Amateur qui souhaiteraient qu'elle soit libérée en bonne et due forme. À l'interne qui la reçoit, elle donne pour raison de sa fugue «que son père voudrait la garder dedans pour toujours». Il la trouve «confiante et amicale, de bon jugement, bien orientée, sans délire ni hallucination». Mais que peut-on faire pour elle sinon la garder enfermée? Le 9 août 1967, elle s'évade de nouveau. La police la ramènera cinq mois plus tard. Jusquelà, cette fille à la fois hardie et réservée, affectueuse mais guère sentimentale, qui a des aventures depuis l'âge de treize ou quatorze ans, tout en poursuivant son but de se marier, n'a pas été malchanceuse. Mais cette fois, l'été de l'Exposition a été chaud, elle ne remonte pas indemne des Bas. En février 1968, sa grossesse est déclarée. On approche ses parents qui, loin de penser à recueillir l'enfant, s'offusquent qu'on leur ait appris la nouvelle. Claire, de son côté, s'est adressée à la bonne place. Elle écrit (ou fait écrire par les monitrices) lettre sur lettre à Bathurst, Allardville et Saint-Amateur. La première réponse lui arrive le 5 mars, de Madame Andrée Murty: «Chère amie, je viens répondre à ton aimable lettre que j'ai lue avec une joie profonde de voir que tu penses à moi... J'espère qu'un jour viendra que tu seras près de moi comme avant. Prends courage, fais la bonne fille. Si tu as ton enfant, garde-le car moi, je le prendrai plus tard. Je ne veux pas que tu le donnes à l'étranger. Ce sera une joie de l'avoir avec toi, ce petit bébé. Tu seras heureuse avec moi, tu seras chez vous...» Et ce n'est pas tout: le 18, deux de ses amis, Gérard Le Bouthiller et Gérald Savoie, avec beaucoup de charme et de naïveté, reconnaîtront leur paternité. Il ne restera plus à Claire qu'à redescendre dans sa nouvelle patrie où elle est aimée un peu plus qu'il ne faut, pour y avoir son enfant. Le 18 avril, on croit à une rupture de la poche des eaux. De la salle Sainte-Marie où elle est surveillée de près, elle monte à Saint-Marguerite, salle de l'Unité médico-chirurgicale, en prévision de son accouchement, où elle le sera moins. C'est de là qu'elle réussira la plus fameuse de ses évasions, laissant derrière elle la lamentable légende de l'innocente qui saute la clôture au risque d'accoucher dans les champs, y laissant son enfant en pâture aux corbeaux. La réalité fut tout autre. Claire put se rendre à Saint-Amateur et l'enfant naîtra quinze jours plus tard à l'hôpital de Caraquet.

Quand Gérard Le Bouthiller apprit qu'il serait père, il était au sanatorium de Bathurst. Il répondit à Claire: «Je suis ici pour une purisie. Tu me dis que tu as décidé d'être toujours à moi. Je prie pour toi tous les soirs. Je t'aime. Quand tu auras ton enfant, tu vas le redescendre avec toi. Si c'est une fille, elle va être belle comme sa mère, pas comme son père car je ne suis pas beau à voir du tout.» L'autre épouseur, Gérald Savoie, répondit de Allardville: «Bonsoir, mon amour. Je t'écris cette lettre pour répondre à la tienne qui m'a fait grand plaisir. Je sais maintenant que tu penses à moi. Tu m'as dit que tu serais ma femme et je sais que je suis seul, si seul sans toi. Tu sais, je morton de travailler pour quand tu reviendras. Nous pourrons nous marier. Oublie ce qui s'est passé et reviens au plus vite. Quand mon amour pour toi grandit et que tu as changé ma vie, chaque soir je regarde à la fenêtre, les étoiles semblent me dire que c'est ici les larmes, elle va revenir dans mon cœur. Dis-moi si tu as reçu mon portrait. Je t'en supplie, reviens aussitôt que tu pourras. Des saluts de ma famille. Je t'embrasse bien fort, chérie.

> Dans mon gradin j'aime les fleurs
> Dans le monde j'aime un cœur
> Il s'appelle Marie-Claire
> Dans mon gradin j'ai des fleurs
> Que je pourrai t'offrir
> À ton revoir.»

Ce sont de bien jolies lettres. On les a quelque peu corrigées. Les *an* s'écrivent *on*, je *ponce* pour *pense*. *Gradin* semble un amalgame de *jardin* et *garden*. Le «je morton de travailler» vient peut-être de *morfondre*. Mais peu importe l'orthographe! La petite Claire avec son gros ventre ne perdait pas son temps et semblait vouloir donner à l'enfant plusieurs pères. On lui a demandé si c'était Gérard ou Gérald. Elle répondit: «Ni l'un ni l'autre, c'est Réal Scott, de Saint-Amateur. Il a deux terres. C'est lui que je marierai.» Elle disait ça en 1970. En 1968, elle était moins catégorique et jugeait plus sûr d'avoir trois marieurs sous la main. Son jeu était-il imprudent? Il ne semble pas: l'un à Bathurst, l'autre à Allardville, le troisième à Saint-Amateur, ils étaient trop dispersés pour se mettre au courant de l'abus que Claire faisait d'eux, bien inutilement d'ailleurs puisque, n'étant pas majeure, elle ne pouvait pas se marier sans l'autorisation de ses parents de Ville-Émard. Il faudra même ruser pour que son enfant reste en foyer au Nouveau-Brunswick. Il y a des frontières entre les provinces. Claire McComeau fut déclarée fille adoptive des Murty de Saint-

Amateur. Tel fut le subterfuge. En 1970, à sa majorité, quand je lui donnerai son congé de Saint-Jean-de-Dieu, je ne pourrai y recourir pour lui obtenir la pension qu'on alloue à qui sort d'institution avant qu'il se trouve un emploi. Je ne la libérais pas pour la garder dans sa province, mais afin de l'envoyer dans l'arrière-pays de Tracadie et de Caraquet, dans la patrie qu'elle s'était trouvée. Or, le Québec ne sert pas de pension aux habitants du Nouveau-Brunswick, ni celui-ci aux nécessiteux qui lui arrivent du Québec, avant un délai de six mois.

J'avais entre-temps appris à la Directrice de l'Unité C que l'innocente de la légende n'était pas du tout ce qu'on se figurait, mais une fille assez extraordinaire, capable de faire reconnaître à trois garçons qu'ils étaient les pères de l'enfant qu'elle avait eu à l'hôpital de Caraquet, non dans les champs. Une femme est toujours du parti de son sexe. Elle m'approuva: à présent que Claire n'était plus sous la tutelle de son père, l'ex-sergent, il fallait la renvoyer dans le pays qu'elle s'était conquis. Elle mit les Sœurs de la Providence dans le coup, qui, en plus de lui payer son billet pour Caraquet, de mettre à sa disposition limousine et chauffeur pour aller la reconduire à la gare centrale, lui remirent un viatique de cent dollars. La salle Sainte-Marie l'habilla comme une princesse. La Directrice pour sa part lui donna trois valises en peau de cochon, la grande, la moyenne, la petite, l'ensemble avec lequel on fait le tour du monde. Claire arrivera donc en beauté à Saint-Amateur, reprendra son enfant et se mariera enfin.

Décidée et têtue, elle avait trouvé moyen de se réhabiliter par elle-même grâce à ses évasions, à son flair d'Irlandaise et à sa chance aussi sans doute, en se trouvant si loin de Montréal un milieu propice dans l'arrière-pays assez désolé et quasiment invraisemblable, où la lèpre avait sévi déjà, de la péninsule de Miscou, auquel elle s'était si bien faite qu'elle en avait adopté le parler chantant et l'accent pointu. En 1966, quand on l'envoya de la Prison Tanguay au Mont-Providence parce qu'on la jugeait débile, on avait noté qu'elle parlait toujours de mariage, projet qu'on avait jugé insensé de la part d'une délinquante, en rupture de famille. Seigneur! qui l'avait crue? Personne. Seulement voici, elle, elle y croyait et avait continué d'y croire. L'obstination est une forme de courage et aussi de fierté dont on ne devrait jamais sous-estimer les ressources, non plus que celles de la liberté.

Claire ne me faisait pas tellement confiance. Un médecin pour elle était un geôlier porté au boniment, avec qui il n'y a pas moyen de s'expliquer. Pour me simplifier les choses, elle disait que sa vieille amie de Saint-Amateur, Madame André Murty, était sa tante. Oui mais, sa tante par son père et par sa mère? Et comment l'avait-elle connue puisqu'elle demeurait si loin de Ville-Émard? Son père était-il jamais descendu dans les Bas? Elle me répondait par des faux-fuyants. Je lui semblais incapable de deviner la vérité: qu'elle l'avait connue par hasard en suivant un pauvre garçon nommé Gérard Le Bouthiller et s'était affectionnée à elle tout simplement, sans qu'elle fût sa tante ni par père, ni par mère. Et elle me parlait comme à un gros débile. Je finirai quand même par m'y retrouver et par comprendre à peu près tout de son extraordinaire histoire. À ma grande joie, Claire McComeau me regarda avec de grands yeux, toute surprise que je sois, nonobstant ma profession, d'une intelligence normale.

X

Si les fous étaient rejetés par la société, internés à Longue-Pointe, les Religieuses adoucissaient leur sort en le partageant. D'elles-mêmes elles s'étaient retirées du monde pour l'amour de Dieu qui ne fait pas grand-différence entre les sages et les insensés, qui a même déclaré bienheureux les faibles d'esprit. Pour garder leur principauté de Gamelin, elles devaient se fondre avec eux et non pas chercher à se dissocier comme elles le firent par l'immense résidence qu'elles se bâtirent en avancée sur le côté des hommes, à droite du Bourget. Cet édifice, trop vaste, marqua à la fois leur apogée et leur déclin, de plus en plus démesuré à cause de la diminution et du vieillissement de leurs effectifs, tant à la fin qu'il devint leur cénotaphe.

Je serai tout étonné par la colère que me piqua Sœur Larocque surveillante des salles de l'Unité C, peu avant d'être remplacée par une laïque, quand je lui proposai comme postulante Marguerite Gravel, née dans un orphelinat, nantie d'un patronyme de hasard, déjà dans la trentaine, grandie en institution, modelée sur certaines Religieuses qu'elle imitait en tout, mais qui n'en restait pas moins débile.

— Nous prenez-vous pour des folles?

— Non, ma Sœur, je pense tout simplement que vous avez une baisse de recrutement, que plusieurs jeunes Religieuses vous quittent et n'ont pas fini de le faire. Par

conséquent, vous ne devriez pas être trop difficiles.
Rappelez-vous la parabole du festin: à défaut des invités,
le maître ordonne de ramasser des gens dans la rue... d'ailleurs n'avez-vous pas accepté déjà des sourdes-muettes?

— Elles portaient un costume spécial.

— Oui, je sais, une cornette dentelée qui les faisait
ressembler à des démones. Elles n'en étaient pas moins
des Sœurs de la Providence. Il faut de tout dans une communauté, des fines et des moins fines, les unes pour les
grands postes, les autres, sans ambition, pour les hum-
bles besognes. Trop de fines ensemble, ça suscite des
rivalités, des chicanes, vous devez le savoir. Avec Marguerite qui seconde déjà Sœur Zénon à son cours de musique, à qui l'Assistante-Directrice ne cesse pas de demander de menus services et qui se morfond à les lui rendre,
vous n'avez rien à craindre. Et puis, ma Sœur, ça lui ferait
tellement plaisir!

Sœur Larocque, originaire de Hull, d'une famille de
marchands de bois, qui ne venait pas de rien et se le rappelait, ne voulut en entendre davantage et repartit, femme
énergique, sur ses pauvres jambes qui avaient du mal à la
suivre dans ses fonctions où elle devait marcher du matin
au soir. L'hospitalière de Sainte-Agathe, à qui je fis part de
ma déconvenue, se mit à rire: «Mon Dieu! Est-il possible?»
Ça l'était si peu qu'après l'avoir répété trois fois, elle en
riait encore. Enfin elle me dit rondement, à sa manière,
toujours franche:

— Mon pauvre docteur, même si vous faites des
livres, vous en avez encore à apprendre! Marguerite est la
caricature de certaines Sœurs maniérées et fausses, en
particulier de Sœur Lupien, l'Assistante-Directrice, une
grand-maigrichonne avec une face de cheval que Sœur
Larocque, robuste et pleine de bon sens, ne peut souffrir.
Je la comprends de s'être fâchée, j'aurais fait de même à
sa place.

Quand je voulus lui replacer la parabole du festin, comme la Religieuse, elle ne voulut pas m'écouter, disant qu'elle avait bien assez d'un curé et que, de toute façon, les Saints Évangiles, ce n'était pas mon genre. Ma foi! Je dus en convenir.

Avant les neuroleptiques, les électrochocs étaient la panacée dans les asiles. Ils se donnaient à froid. Souvent, faute de personnel, les patientes y menaient leurs compagnes. Après avoir assisté à ces séances convulsives, ça leur faisait un petit quelque chose de s'entendre dire: «Maintenant, c'est à ton tour.» Marguerite avait su leur échapper. Elle n'en gardait pas moins un fond de frayeur et restait sur le qui-vive, inquiète de tout et de rien. Or, depuis peu, de nouveaux pédagogues, bien intentionnés, cherchaient à initier les faibles d'esprit aux mystères de la vie. Ils se servaient du haricot, facile à faire germer. Ce haricot, Marguerite le prit en aversion. La pensée qu'un homme pût le planter en elle la rendait malade. La nuit, seuls les grillages de sa chambre la protégeaient. Sur les entrefaites, on se mit à licencier des patientes, certes pour leur bien, mais aussi pour diminuer la promiscuité dans les salles, et Marguerite avait été jugée apte à partir dans le vaste monde où il y a des hommes et des haricots, point de grillage aux fenêtres, où l'amour donnait lieu à des séances convulsives, tels les électrochocs. Marguerite ne le voulait pas. Chaque jour, elle me suppliait de la garder à l'asile, auprès de ses vierges-mères.

Le déclin des Sœurs me troublait. J'appréhendais leur perte à mon désavantage, ayant appris à m'accommoder de la religion, de ses œuvres et de ses pompes. Je ne lui avais pas trouvé (ni cherché) de substitut. La principauté de Saint-Jean-de-Dieu, le pas de Gamelin, la folie domestiquée, transformée en phare de sagesse, tout cela me semblait important, précieux, irremplaçable. Ce déclin, par contre, ne dérangeait pas l'hospitalière de Sainte-Agathe.

Elle lui devait son poste, une autorité à laquelle elle se plaisait, qu'elle n'aurait pas exercée quelques années auparavant, lorsque toutes les hospitalières étaient des Religieuses. Elle n'en restait pas moins catholique et romaine, laissant à Dieu ce qui revient à Dieu et prenant le reste, peu dans une société de privation, de plus en plus dans une société d'abondance, en toute bonne foi. Dieu existe pour qu'on n'ait pas de question à se poser. Quoi qu'il advienne, que Son Saint Nom soit béni! Elle lui savait gré de cette abondance où plus rien n'est gratuit, où tout doit être payé pour que tout soit comptabilisé, où le sacrifice devient une aberration, une hérésie majeure, où par conséquent, Dieu n'a plus à être remercié de rien. Elle le bénissait de s'éloigner, de ramener avec Lui les Sœurs de la Providence et tout le saint-frusquin, de le faire en douceur pour ménager la transition et nous apprendre à nous passer de Lui dans un monde ahuri et content. Les protestants tiennent à un Dieu austère dont ils tirent la prédestination qui favorise leur fortune et assoit leur domination, tandis que les catholiques, gueux nantis d'un Dieu munificent, roulent vers l'athéisme dans le carrosse du Saint-Sacrement.

Mécréant, j'avais les yeux vairons pour observer, de l'un regrettant les Religieuses, de l'autre prenant plaisir à Garde Larose, l'hospitalière de Sainte-Agathe. Son nom me rappelait ma grand-mère Bellerose que sa fille cadette, ma mère Adrienne, perdit si tôt qu'elle l'avait oubliée et ne m'en parla jamais. Je savais néanmoins que belle femme, fière de son patronyme qu'elle avait transmis par le baptême à sa fille aînée, Rose-Aimée, elle était issue de forestiers des hauts de Berthier et de Maskinongé, d'une gent énergique, haute en couleur, tout autre que celle de mon grand-père Louis-Georges Caron, marchand fils de marchand, qu'elle avait subjugué et qui, veuf, devint frénétique. Il fut mis au secret à Saint-Michel-Archange où il mourut. Quel mal ai-je eu à le percer, ce secret, quand, moi-même un peu piqué, assez fou même, j'entrepris cet ouvrage sur le pas de Gamelin, similaire au pas de Mastaï... Quoi qu'il en soit, Larose n'est pas Bellerose, mais à cause de la fleur et de l'idée que je me faisais de cette fabuleuse grand-mère, je les confondais et trouvais fière allure à l'hospitalière de Sainte-Agathe. Blonde, le teint clair, les traits fins, elle était grande et solide. Après s'être redressée, les épaules renvoyées en arrière, c'est comme une tour qu'elle s'avançait vers le point où le désordre, toujours latent dans sa salle, venait d'éclater. Elle avait tôt fait d'y mettre fin parce qu'en plus d'en imposer par son courage physique, elle avait la décision rapide et juste.

— C'est presque une matrone, constatait Suzanne Lusignan avec admiration.

Suzanne, comme Marguerite, jouissait d'un traitement de faveur à Sainte-Agathe, de bon discernement lorsqu'il ne s'agissait pas d'elle-même. Après avoir eu trois enfants à la Miséricorde, donnés en adoption, désabusée du monde, elle s'était installée à Saint-Jean-de-Dieu et n'en voulait plus partir. Elle donnait l'impression d'être normale, voire intelligente. Toujours aux aguets, au courant de tout, elle m'était une précieuse informatrice, parfois même une conseillère. Les services qu'elle me rendait la revalorisaient sans doute. Cependant, dès qu'elle se retirait de son entourage pour rentrer en elle-même et parler de soi, elle perdait ses moyens et sombrait dans la confusion. Elle m'écrivait lettre sur lettre, toutes illisibles. Je le lui dis, elle tenta d'y remédier en les écrivant en lettres carrées, sans plus de résultat, tant ses propos restaient incohérents.

Le langage écrit n'est peut-être pas de même nature que le langage parlé. Celui-ci est direct tandis que l'autre fait un circuit, ramène à soi, en repart et peut se perdre entre la tête et la main, comme c'était le cas pour

Suzanne. La parole est simple et spontanée. L'écriture, lente et réfléchie, doit réaliser la concorde des deux langages, autrement pourquoi s'y obstiner? Suzanne tenait peut-être à témoigner de son incapacité, de son désarroi intime et divulguer une folie qui autrement serait restée secrète. Après mon départ de Saint-Jean-de-Dieu, je continuerai de recevoir les missives obscures de cette jeune femme primesautière et perspicace qui me rappelait peut-être ainsi son attachement et son incapacité d'aimer, mélange contradictoire, résidu de ses trois enfants perdus dans un monde antérieur où elle n'avait plus accès et qui n'en persistait pas moins à son insu.

Je gardai Marguerite et Suzanne internées, car tel était leur bon plaisir. Je libérai quand même plusieurs de leurs compagnes. Ces départs nous permettaient de retirer plusieurs lits d'une salle et de décréter qu'elle en compterait dorénavant cinquante et non plus cinquante-trois ou cinquante-quatre, avec pour avantage d'y réduire la promiscuité et désavantage de l'écrémer de ses meilleurs éléments. Le décret était indispensable. Or, une fois que nous avions une huitaine de lits libres, il fut remis au lundi et, durant la fin de semaine, nous fûmes victimes d'un coup de force de la Psychiatrie, laquelle précipita dans nos enfers huit de ses cas les plus encombrants et parmi eux, une dénommée Louise Grignon, attachée sur une chaise roulante, dont le délire était un véritable enchantement. L'ambiance de Sainte-Rita, où elle échut, s'en trouva ravivée.

Louise, Dieu-plus-que-Dieu, prétendait parler de plus haut que le ciel à ses bons moments. Il lui arrivait d'en rabattre et d'évoluer à une moindre altitude. Elle était alors le sieur de Maisonneuve ou Lambert Closse, mais qu'elle fût Dieu-plus-que-Dieu ou un héros de l'histoire de Montréal, elle ne souffrait sur elle que des habits d'homme. Sa toute-puissance ou ses glorieux faits d'armes ne l'empêchaient pas d'avoir le coup de poing en traître. Les gardiennes lui servaient de victimes. Elle les frappait à l'improviste derrière l'oreille, mais toujours le niait. Se pouvait-il, en effet, que le sieur de Maisonneuve ou Lambert Closse, un brave d'entre les braves, s'en soit pris à une misérable femme? Non, cela était incroyable, cela dépassait l'entendement humain. Ses coups n'en inspiraient pas moins la terreur. Il ne me sera pas facile de la libérer de sa chaise roulante où on la gardait attachée depuis des années, ni pour elle de réapprendre à marcher. Dieu-plus-que-Dieu, elle ne parvint jamais à se redresser entièrement les genoux et marchait les mains plutôt pendantes.

Elle était à sa manière une artiste et ne délirait bellement qu'avec un bon public. Encore le laissait-elle en appétit, ne daignant jamais répéter ses trouvailles. Ce qui était dit, était dit; elle n'y revenait pas. Elle n'attachait de prix qu'à son génie d'improvisation et ne pouvait souffrir les personnes simples qui n'accordent à la parole qu'une fonction utilitaire, fermant l'oreille aux jongleries verbales et à la poésie, d'où les coups de poing sournois qu'elle leur décochait, justement derrière l'oreille. Devina-t-elle le respect qu'elle m'imposait? En tout cas, elle dut se rendre compte de mes bons offices. J'avais réussi à la laisser vaquer librement au lieu de la rattacher dans une chaise roulante comme on me le recommandait. C'était aux gardiennes à ne pas se mettre à la portée de ses coups. J'avais réduit sa médication à presque rien, à un barbiturique qui favorisait probablement son délire. En retour elle se moquait de moi, affectueusement, il est vrai, et me comparait à de Gaulle qui, après tout, valait bien Lambert Closse et le sieur de Maisonneuve.

— Mon Général, qu'est-ce que cela?

Debout, à la porte de son cabanon, elle avait pris la cravate tissée que je portais à l'année longue, n'en ayant point d'autre.

— Une cravate caca d'oie! Quelle honte pour la patrie! Mon Général, avez-vous oublié la grandeur française?

Hélas! mon usurpation tirait à sa fin. Le Général quitta Saint-Jean-de-Dieu peu après l'arrivée de Louise à Sainte-Rita. Je n'y retournerai qu'une fois. Ce fut pour constater dans quel état se trouvait Monique Fontaine après la lobotomie, longtemps complotée, qu'elle venait de subir. Suzanne m'avait dit au téléphone qu'elle était paralysée. Oui, en effet, mais on était aux petits soins avec elle afin de la remettre sur pied au plus vite et Monique, sous son turban blanc, exultait de bonheur, telle une sultane favorite. Sachant que je m'étais opposé à l'intervention, elle n'eut pour moi qu'un regard de souverain mépris. Je n'avais plus qu'à m'en retourner, penaud. Auparavant, j'irai faire un tour à Sainte-Rita, la salle de mon élection, et qu'y trouverai-je? Dans la section des cabanons, attachée par une cheville au mur du passage, Louise hébétée par les neuroleptiques, baveuse, allongée par terre. On lui avait extrait les incisives pour l'empêcher de mordre, ne lui laissant que les crocs. À ma vue, elle esquissa un sourire édenté. Du plus profond de sa déchéance, elle, naguère Dieu-plus-que-Dieu, elle me considérait avec un peu d'ironie, parce que je n'étais plus le Général, et avec quelque reproche, un reproche à peine perceptible, parce que j'avais fermé l'oreille aux jongleries verbales et à la poésie, parce que je l'avais abandonnée, hélas!

de la Cour supérieure, greffier de la Cour de circuit, il a son étude de notaire public. Cet homme important, la moustache en pinceau en dessous d'un grand nez, paraît surpris de m'apercevoir là, devant lui, et me demande ce que je veux.

Je comprends aussitôt qu'il a oublié sa promesse, du moins ce que j'ai cru une promesse et qui probablement ne l'est pas. Il m'avait dit: «Essaie jusqu'aux vacances de Noël. Alors si tu n'aimes pas ça, eh bien! on verra.» J'essayai, quelle misère! Jamais je n'aurai autant souffert du froid qu'à attendre la fin d'interminables récréations où je ne faisais rien d'autre, n'ayant pas le cœur à jouer, ni amis d'ailleurs. Et je fus malade. Ma mère était morte en mars, les Sœurs françaises le savaient, l'ayant eue comme pensionnaire avant moi au Sanatorium Cooke, sur le Plateau, à Trois-Rivières. Mon père, en veuf incomparable, leur dit: «Mesdames, je vous en prie, ne négligez rien pour sa santé.» Elles firent de leur mieux, hélas! Lui-même, il s'était prémuni, m'assurant pour vingt mille dollars. C'était beaucoup à l'époque. Les valais-je, moi, un garçon de dix ans? En tout cas, mort, je n'aurais pas été une perte sèche. Les Religieuses me donnaient une collation spéciale, l'après-midi, et me mirent au petit dortoir, plus douillet que le grand. Elles s'avisèrent en plus d'appeler le docteur Normand, médecin de renom, qui m'injecta dans le bras le vaccin de la diphtérie, fraîchement arrivé de Paris. Les jours suivants, le bras m'enfle, se tuméfie, la fièvre me gagne. Je perds connaissance durant la messe et me voici à délirer plus d'une semaine à l'infirmerie. Les Sœurs françaises du Jardin de l'Enfance étaient plus françaises qu'on le penserait, dirigées par deux converties britanniques, par ailleurs femmes de discernement: elles me confièrent à une petite Religieuse indigène, originaire du rang Barthélémy qui commence dans la paroisse de Louiseville, traverse tout Saint-Léon et finit à Sainte-

Angèle, par conséquent de mon pays, peut-être une parente. Chaque soir, après ses classes, cette Religieuse vient s'asseoir à mon chevet et me lit des contes canadiens, certains de Louis Fréchette, qui m'émerveillent et m'aident à revivre. Du pire naît parfois le meilleur: Fréchette aura été le premier de mes auteurs. Il n'en reste pas moins qu'à cause de cette recommandation, j'ai bien failli mourir d'une septicémie. Malheureux, je résistais mal au froid et à l'infection.

— Eh bien! qu'as-tu à me demander? dit mon père.

— Ta promesse...

Sa promesse! Quelle promesse? Il se souvient très bien de ce qu'il m'a dit. Seulement, comme je devais m'en douter un peu, le «on verra» n'est nullement une promesse de me garder à la maison, si je le demande. Au contraire, maintenant c'est tout vu: j'ai bravement tenu le coup, je pourrai passer encore plus facilement au travers du deuxième semestre et de tous les autres puisque j'en aurai pour des années et des années à passer dix mois sur douze hors de la maison et plus loin qu'à Trois-Rivières, à Montréal et à Québec.

— Si je te gardais ici, ajouta mon père, qu'apprendrais-tu, que deviendrais-tu, toi, mon fils? Tu n'apprendrais rien, tu devrais travailler de tes mains, et si tu n'en avais pas la force, tu deviendrais un fainéant, un magoua! Tu couvrirais de honte la mémoire de ta mère! Compte-toi chanceux que j'aie les moyens de te faire instruire! D'ailleurs je le sais, tu es courageux, capable de me faire honneur.

Je me souviens que ma mère, elle, soutenait que j'étais franc. Cela m'a toujours étonné qu'on en sût plus long que moi à mon sujet. Je n'étais pas tellement sûr de ma franchise. Et qu'était-ce au juste que la franchise? M'arrivait-il de m'écrier de tout cœur, avec indignation, d'une chose qu'elle n'était pas vraie, ma mère n'y consentait pas; elle me reprenait sur l'expression, trop catégorique, blessante et impolie.

— Mais que faut-il dire?

Je devais dire sans colère, modestement: «Excusez-moi, à mon avis, tel n'est pas le cas.» Malgré le recours aux euphémismes, sa réserve qui faisait d'elle une personne très distinguée, la digne fille de ses trois tantes ursulines, ma mère n'a jamais démordu de ma franchise. J'ignorais d'où elle tenait son information. Néanmoins, même si je restais dans le doute, je n'avais jamais osé la détromper; elle me connaissait de plus loin que moi; je craignais de plus que dans un moment d'irritation, elle ne perdît patience et ne s'écriât: «Ce n'est pas vrai, tu es franc!» J'en aurais été gêné pour elle. Or voilà maintenant que je devenais courageux et qu'à cause de ce courage, que je ressentais si peu, mon père n'avait pas failli à sa promesse.

Il partit pour le palais de Justice, la dernière journée passa comme les autres. Après le souper, je me retrouvai avec lui sur le quai de la gare, nous promenant en attendant le train de sept heures. Certes, je tenais à lui faire honneur mais en même temps, j'eusse souhaité que ce train n'en finît pas de ne pas arriver. Hélas! le fractionnement infini du temps, qui empêche la flèche d'Élée d'atteindre son but, est un calcul trop subtil pour les véhicules lourds et le train arriva à l'heure dite. Je l'entendis siffler à la traverse de Sainte-Ursule et peu après, au détour qui la suit, monstre borgne ébranlant les mondes fragiles et se frayant chemin au milieu de leurs secousses, apparaissait, noire et fumante, l'inexorable locomotive. Mon père me dit, quand je me séparai de lui, de ne pas avoir trop de chagrin:

— Tu verras, le temps passe si vite.

J'inclinai la tête comme pour lui donner raison; mais en moi-même je pensais:

— Rendu au Jardin de l'Enfance, oui, on verra, mais pas avant!

J'étais monté dans un wagon spacieux où je trouvai un banc libre, face à un autre banc libre, du côté du quai d'où mon père attendait le départ du train pour s'en aller. Je m'installai, il m'aperçut et se rapprocha. Je le voyais tout près, encadré par la fenêtre, dans sa pelisse de chat, sous un lampadaire jaune, cet homme important et un peu barbare qui maquignonnait la vie et la mort; il me regardait attentivement avec un air de bonté que par pudeur il mitigeait d'une douce ironie. Je lui fis de petits signes de la main, souriant de mon mieux. Je savais que lui non plus il n'était pas tellement heureux. J'étais au chaud; il restait là planté, toujours à me fixer, dans un couloir étroit et mal éclairé, où surgissaient par moment de grosses buées blanches, effarouchées par le froid. Il avait un peu de frimas à la moustache. J'eus pitié de son courage, autrement plus vrai que le mien, et je ne pouvais rien pour lui, rien que lui envoyer la main et sourire. Pourquoi le train ne repartait-il pas? Enfin, par secousses propagées de l'avant à l'arrière, il s'ébranla et se mit à rouler doucement quand les wagons eurent tous été soudés ensemble. Mon père, après quelques pas pour y rester, glissa peu à peu hors de son encadrement, remplacé par les hangars fuyants et les derniers lampadaires, puis la nuit me renvoya mon image, la tête appuyée au dossier, dans ma tunique bleu marine à gros boutons dorés.

La locomotive avait sifflé par deux fois pour s'annoncer aux traverses de Saint-Léon et d'Yamachiche. Entre les deux le train roula creux; il traversait le pont de la rivière du Loup. Il retrouva son roulement lourd. Les cliquetis plus fréquents d'un rail à l'autre, bientôt réguliers, indiquèrent qu'il avait atteint sa vitesse ordinaire. Il filait au-dessus du Brûlé, trois maisons et des bâtiments, un petit rang qui se perd dans les prairies de foin bleu et les marais. Je les imagine dans la neige bordée au fond par une futaie dont la lisière brune s'abaisse et finit par s'ajourer, faite alors d'arbustes et de grands joncs; c'est la plaine basse du lac Saint-Pierre, inondée à la crue du printemps. Dans la futaie, à l'embouchure de la rivière, il y a une érablière dont la cabane est bâtie sur pilotis; comme le coup de la sève survient en même temps que la crue, on en fait la cueillette en chaloupe. L'érable qu'on y entaille, la «plaine», est d'une essence inférieure à l'érable à sucre. Les autres arbres de la futaie sont l'orme et le peuplier, quelques saules, des aulnes. Dans ce bas pays, que la crue empêche de clôturer, j'allais fureter, libre comme un voyou. L'été précédent, j'avais trouvé, au pied d'une talle d'aulnes, un nid rempli d'œufs sur le point d'éclore; je les rafle tous, les gardant chauds contre ma poitrine et pédalant vite vers la maison où le poêle, hélas! est mort. Florence et Marie-Jeanne refusent de le rallumer pour en réchauffer le fourneau où je comptais mettre ma couvée. Quel désastre! Aucun des canetons n'est sorti de l'œuf. Encore si j'en avais laissé quelques-uns à la cane sauvage! Mais non, dans ma folle avidité, je voulais tout avoir et je ruinais tout.

Le train continuait vers Yamachiche. La tête appuyée sur le dossier de pluche verte, les pieds allongés sur le banc d'en face, dans ma tunique de serge, bleu marine, à boutons dorés, au collet de velours noir. J'évoquais ce paysage familier survolé par une cane éperdue, orpheline, triste emblème de ma dépossession et de ma liberté perdue, quand j'allais «effalé», la chemise ouverte, au lieu d'avoir la gorge prise dans ce petit collet mandarin à deux agrafes. Mon père ne manquait pas de me dire, chaque fois que je le rencontrais: «Attache donc ta cravate!» Mais je ne le rencontrais guère. Quant à ma pauvre mère, ses séjours au sanatorium m'avaient habitué à son absence. Revenait-elle à la maison, elle se considérait, elle si charmante et si engageante, une lépreuse, et ne se laissait plus approcher. Elle remarquait sans doute que je perdais mes bonnes manières, que je devenais rustaud, mais désespérée après la mort de son Irène adorée, sa dernière sœur, elle avait renoncé à me reprendre... À cause de la glace bougeante qui me renvoyait mon portrait dans l'uniforme du Jardin de l'Enfance et me rappelait ma destination, je devais penser en même temps au sursis du voyage, à Yamachiche, à Point-du-Lac où nous n'étions pas encore passés, au long trajet de la gare de Trois-Rivières à la terrible porte de la rue du Parloir; je n'en revenais pas décidément et me disais que cela pouvait être long, très long. En attendant, je n'étais pas trop malheureux... Soudain, je me rendis compte qu'un ecclésiastique était aussi là, devant moi, sur le banc resté libre, et qu'il me regardait parfois de ses petits yeux gris, dans ses lunettes cerclées d'or, par-dessus son bréviaire, comme si j'étais pour lui un phénomène curieux, une sorte de petite bête.

Qu'étais-je d'autre? Je me le demande. Je ne savais rien à mon sujet excepté qu'on m'arrachait à tout ce que j'avais été, une maison dans la grand-rue de Louiseville, l'école des Frères, la plaine du lac Saint-Pierre, la parenté, mon père toujours un peu narquois, Florence et Marie-Jeanne, le monde heureux des jours sans lendemain; je ne savais plus que mon nom et mon âge, et que je devais être franc et courageux puisque mes parents en avaient décidé pour moi. J'étais si peu de chose en vérité que je ne croyais pas que l'abandon où je me trouvais, le désarroi, pût intéresser un autre que moi, et je cherchais à n'en rien montrer. Dieu? On m'en avait beaucoup parlé, mais je n'avais jamais eu de ses nouvelles... Une petite bête sauvage en uniforme qu'on n'a pas encore dressée, voilà tout ce que j'étais. L'ecclésiastique avait deviné juste. Il ne m'intimida pas toutefois; j'avais compris qu'il ne me voulait rien de mal. Et j'attendais: peut-être allait-il parler? De toute façon, sa présence m'apportait un certain réconfort. Et puis n'était-il pas un peu diable pour m'être apparu ainsi, là, assis devant moi sans que je l'aie vu venir? Il était certainement assez jeune, mais à cette époque et même longtemps après, la soutane empêchait de telles considérations parce qu'elle intimidait, partie intégrante qui mettait ces Messieurs en dehors du temps. Ils restaient longtemps, très longtemps, sans âge, puis un jour ils étaient vieux et encore plus intimidants. Ils s'affichaient si ouvertement qu'ils faisaient penser à des épouvantails. Plus tard, beaucoup plus tard, quand ils commencèrent à se faire peur eux-mêmes et à se déguiser en n'importe qui, n'importe quoi, pour passer inaperçus, je les regretterai car ils étaient utiles et secourables, qu'on les craignît ou les respectât, le plus souvent les deux à la fois, car ils faisaient régner la décence sur la place publique, en même temps que les enfants, à qui on imposait le respect, la faisait régner dans les plus pauvres maisons, en dépit de la promiscuité.

L'ecclésiastique, comme je m'y attendais, ferma son bréviaire et me parla, non pour me poser des questions à mon sujet qui m'auraient sans doute mis dans l'embarras, mais des questions toutes simples sur le pays que nous traversions dans la nuit et qui m'était plus personnel que moi-même. Ces questions ressemblaient à des devinettes. Il sut m'amuser tout en s'amusant de moi comme il en avait le droit, puisque je n'étais qu'un écolier très ignorant et lui un clerc très érudit, d'une sagesse enrobée de malice. Ce fut à Yamachiche, lors de l'arrêt, qu'il me demanda si je connaissais le nom du chemin qui, passée la gare, monte vers le nord. Je n'étais pas familier à Yamachiche: à part Nérée Beauchemin sur sa galerie, entre ses deux filles, et sainte Étiquenne, dans la crypte, à l'église, je ne connaissais que le nom de ce chemin, et par adon, parce que Florence et Marie-Jeanne Bellemare qui avaient remplacé ma mère, toujours absente de la maison à faire de la chaise-longue au lac Édouard, comme morte avant de mourir, étaient originaires du rang auquel ce chemin mène un peu plus loin, à une fourche dans le premier vallon: tout droit il continue à Saint-Barnabé, à gauche il devient ce rang dont le nom reflue ensuite par lui jusqu'à Yamachiche.

— Oui, c'est le chemin Vie-de-Poche qui mène au rang Vie-de-Poche.

— Peux-tu l'épeler?

Je le fis comme je l'entendais et comme Florence et Marie-Jeanne, nées d'un premier lit, semblaient l'entendre, une vie peu agréable, de poche, non de velours. À quoi l'abbé répliqua que le mot pouvait s'épeler aussi Vide-Poche.

— C'est dans ce bout de chemin-là que les cultivateurs, descendus au village avec de gros sacs de grains pour les faire moudre au moulin du seigneur Gugy, se rendaient compte qu'ils en rapportaient peu de farine, surtout s'ils en avaient bu une partie à l'hôtel. Après le Vide-Poche, la vie de poche les attendait. Les deux se tiennent de si près, signifiant à peu près la même chose, la déception, la pénurie, la petite misère, qu'on peut écrire l'un ou l'autre.

Là-dessus, inspiré par la petite misère, il se mit à chantonner un couplet que les Frères de l'Instruction chrétienne ne m'avaient pas appris, du moins le premier vers — le reste il fredonna: «Un homme sans argent est un corps sans â-âme...» Il ne me parut pas très catholique et me rappela ce que le Frère Albertin nous disait de la rivière: le ciel est de l'autre bord; les laïcs traversent à la nage, les prêtres en chaloupe et les frères sur un bout de pierre... Avais-je la tête transparente? L'abbé se mit à rire:

— Eh! ma chaloupe prend l'eau! Tu as raison, je vois que tu es un bon garçon... Mais, reprit-il, tu n'es pas un Chichemayais.

J'ignorais ce qu'était un Chichemayais.

— Non, répondis-je à tout hasard.

— Alors comment sais-tu le nom de ce chemin?

Je le lui expliquai par Florence et Marie-Jeanne.

— Bellemare avec un A?

— Oui, Monsieur.

— Tu fais comme tout le monde: tu l'écris avec un A et le prononce avec un O, et ça dure depuis deux siècles. Il s'agit d'un sobriquet. Le premier à le porter se nommait Gélineau. On s'est mis à l'appeler Bellemore, un fanfaron de comédie qui tantôt s'appelle Bellemore, tantôt Matamore. Ça le distinguait d'un de ses frères qu'on appelait Gélinas, un autre Lacourse. Ils étaient vraiment du nouveau monde. Gélineau représentait l'ancien, un mauvais souvenir. Le sobriquet lui est resté, à lui et à sa lignée, si nombreuse. On a beau l'orthographier BellemAre, la prononciation originale continue de l'emporter. Que de Bellemare timides et réservés qui seraient déconcertés de savoir qu'ils sont des matamores! Il en est de même pour Point-du-Lac qu'on s'évertue à écrire Pointe-du-Lac et qu'on ne cesse pas de prononcer Point-du-Lac, à bon escient d'ailleurs... Nous y voici déjà: que le temps passe vite! Je devrai t'y laisser, hélas! car vois-tu, mon garçon, je suis un pauvre pensionnaire comme toi, et pis encore, pensionnaire à la Fraternité sacerdotale, parmi une bande de vieux fous.

J'apprendrai plus tard qu'il s'agissait d'une maison de retraite pour prêtres hors-circuit, trop vieux, dérangés ou scandaleux, inserviables ou inmontrables. Il me dit en me quittant: «Va, mon garçon, je ne t'oublierai pas. Et qui sait: peut-être nous reverrons-nous?» C'est ainsi que j'ai connu l'abbé Surprenant. Moi non plus, je n'oubliai pas cet ecclésiastique singulier qui eut la bonté de me distraire sur ce train de misère qui me ramenait, au début de janvier 1932, après les vacances de Noël, au Jardin de l'Enfance de Trois-Rivières.

Il y eut une autre raison: le Chichemayais. En repartant d'Yamachiche, comme nous traversions le pont de la petite rivière Machiche, il m'apprit qu'Yamachiche, mot sauvage, signifiait «rivière de glaise».

— Les Têtes-de-Boule se trouvaient ici quand Dieu demanda à l'homme de nommer sa création. En Mésopotamie, Adam dit: «Euphrate», et eux: «Yamachiche».

L'abbé ne me trompait peut-être pas, mais malin comme il l'était, il ne put s'empêcher d'en rajouter:

— Ça, fit-il, attention, c'est plus compliqué: comment nomme-t-on les habitants de ce beau village qui honore la grosse sainte Anne et la jolie sainte Étiquenne?

J'avais trop de fois désappris, je ne savais plus comment répondre ou je répondais tout de travers. Après l'éloignement de ma mère, me demandait-on le nom du chien qu'elle avait baptisé Fripon, je m'en trouvais gêné, je répondais Rover. Ma mère subsistait comme une divinité dont la langue était trop belle pour avoir cours. J'en avais appris une autre pour courir les rues et les bois de Louiseville; je pouvais parler avec exactitude d'attelage, de charroi, d'outils et d'instruments aratoires; je connaissais les noms personnels des vingt-quatre vaches que j'allais chercher pour la traite au bout de la terre des Voisard, de l'autre côté de la rivière du Loup; je savais que les Belles-P'lottes étaient des Magouas, lointains descendants des Têtes-de-Boule de la Genèse. Or tout ce vocabulaire avait perdu toute valeur au Jardin de l'Enfance.

— Ah! tu ne le sais pas, dit l'abbé Surprenant. Alors apprends-le et retiens-le bien: ce sont des Chichemayais.

Je pris note de ce mot, le premier de mon troisième et dernier vocabulaire, grâce auquel j'espérais rattraper la réputation de ma mère, si distinguée, et faire honneur à mon père, si avide de titres et de gloire. Je ne pensais plus arrêter le soleil comme Josué, ni à empêcher la flèche d'atteindre le cœur de sa cible. Je me retrouvai dans la rue du

Parloir, à Trois-Rivières, et je franchis bravement le pas de la porte du Jardin de l'Enfance où je finis ma première année. J'y retournerai en septembre et, à peu près à l'époque où j'avais été malade, je me liai d'amitié avec un externe qui apporta *la Légende d'un peuple*, de Fréchette, l'édition reliée, qui faisait partie du trésor de son humble famille; les jours de pluie, nous la lisions avec ferveur, durant les récréations. Il compléta les bons offices de la petite Religieuse du rang Barthélémy. Fréchette, mon premier auteur, c'est le chantre de l'élan initial un peu fou que rien ne déçoit, que rien ne rebute, de la victoire qui s'accomplit lentement en dépit des défaites. Les défaites sont des péripéties nombreuses et regrettables d'une victoire unique qui se perpétue pour l'honneur de mon père et la gloire hautaine de ma mère. Fréchette, à sa façon naïve, c'est le chantre de l'obstiné recommencement de la vie.

Je n'oubliai donc pas le Chichemayais. J'étais même très fier de connaître ce mot que tout le monde autour de moi ignorait. Durant quinze, vingt ans, me rengorgeant, je dirai des fameux habitants d'Yamachiche: «Quoi! vous ne savez pas? Mais ce sont les Chichemayais!» Je l'affirmais avec une telle assurance que jamais personne n'a osé me reprendre. Je m'étonne même que ce mot ne se soit pas répandu. C'est peut-être parce qu'on parle peu d'Yamachiche et que la gloire de sainte Étiquenne a baissé. C'est plus probablement parce que notre peuple, par attachement au français et à la précision des termes, ne prise guère les doublets inutiles. Enfin, après plus de quinze ans, peut-être vingt ans, courant après la réputation que ma mère m'avait faite dès le Jardin de l'Enfance de Trois-Rivières, je rejoignis le terme exact: les gens d'Yamachiche sont des Machichois. Alors je me sentis un peu ridicule d'avoir été joué par l'abbé Surprenant, mais sans lui en vouloir pour autant, plus fâché contre moi que contre lui. Je le revis peu après. Il fut, comme on sait, le premier de nos ethnologues à choisir pour terrain de chasse la Grande-Bretagne, un pays confortable, au lieu de faire comme ses collègues et de partir en pirogue pour Bornéo. Il en revenait justement. Lui, dans l'intemporel de sa soutane élimée, il n'avait guère changé, tandis que moi, sans ma tunique bleu marine à collet de velours et à boutons dorés, je n'étais plus un petit pensionnaire misérable, mais un jeune homme désinvolte, assez content de lui, de la vie et de ses promesses, plus pressé d'accélérer le temps que de le retenir et de l'immobiliser. Je ne croyais jamais qu'il me reconnaîtrait.

— Monsieur l'Abbé, je vous ai déjà rencontré sur le train de Trois-Rivières, entre Yamachiche et Point-du-Lac.

— Comme épelez-vous Point-du-lac?

— Comme je le prononce.

Et il me toisait... Soudain ses petits yeux gris souris se mirent à pétiller derrière ses lunettes cerclées d'or:

— Ah bon! fit-il, revoilà le Chichemayais!

Les têtes de morues

Je ne les ai pas oubliées. Elles me reviennent du fond des âges, de plus loin que le mien, et se dressent de nouveau sous la lune d'avril, au bout de leurs longues perches, plantées dans les deux amas de neige qui flanquaient la maison, presque aussi hauts que le toit. Gueules béantes, elles se penchent et me regardent descendre. C'est en effet l'impression que donne cette demeure dès qu'on s'en approche — d'être à moitié enfoncée dans la terre, et qu'on doive descendre pour y entrer.

Horace Goupil, dit le Rouge, me précède cérémonieusement, les bras raides, écartés du corps, tenant à la main mes deux précieux portunas. À Gros-Morne, comme ailleurs sur la côte, on ne me les laisse pas porter. Je viens d'avoir vingt-sept ans. Je nage encore dans le lait. Après quelque étonnement, ma fatuité a vite repris le dessus et je commence à trouver tout naturels les égards dont on m'entoure.

Une vieille aux aguets, la grand-mère d'Horace, la bisaïeule de l'enfant qui va naître, pousse la porte: un panneau de lumière jaune, tel un pont-levis, s'abat jusqu'à nous, entre les deux amas. Cette lumière n'en éclaire que le bas. Plus haut, la lune bleue aiguise les dents des morues, fines comme celles d'un racloir, et leur met à la place des yeux deux points sombres, plus noirs que le ciel. En même temps, de l'intérieur, une chaleur moite s'échappe en buées blanches, encens qui monte vers les divinités cruelles de la nuit. Je me suis arrêté, interdit.

— Entrez, mais entrez donc!

La vieille pourtant se tait, trapue, les yeux bridés, taciturne par tradition, désapprobatrice en l'occurrence, plus muette que les têtes de morues en présence d'un intrus de ma sorte, magicien d'une religion dont elle n'a pas eu besoin, elle, pour accoucher. C'est Horace, mes portunas sur la table, qui est revenu sur le pas de la porte. Il insiste:

— Entrez donc, voyons!

Tête baissée, de peur de me heurter au chambranle, j'obtempère. La vieille referme le panneau et me voilà pris, à la merci d'une souris dans la boîte à pain. Au-dehors règnent les chiens qui dévorent tout à l'exception des têtes de morues, perchées hors de leur portée; au-dedans, les souris. Entre ces deux espèces, il n'y a pas de place pour un chat.

Au plafond, simple envers du toit au pignon obtus, et aux deux poutres transversales, sont attachés les provisions, les bottes, les raquettes et les harnais des chiens. Tout cela pend à diverses hauteurs, au bout de sa corde, mobile, sur le point de bouger, de virer, de danser. Et si rien ne bouge, ne vire, ni ne danse, quel vertige! J'en suis plus étourdi que si je m'étais heurté la tête au chambranle. Et quelle odeur! Un mélange de sueur, de tabac, de bois brûlé et de hareng fumé. Une odeur trop ancienne pour moi, trop humaine peut-être.

Les sauvagesses accouchent bien, mais à leur façon, obligées alors d'être courageuses. Autrement elles ne valent rien. Et la femme d'Horace Goupil, née Rita Laflamme, en était une ou tout comme, issue de Paspéïas, de Micmacs, de Montagnais, d'Irlandais et peut-être aussi, bien peu, de Canadiens. Tout le monde était bigarré à Gros-Morne, même flamboyant comme Horace, dit le

Rouge à cause de sa tignasse, relevée par des sourcils presque blancs. Cela ne l'empêchait pas d'avoir pour aïeule une métisse esquimaude, cette vieille trapue qui se tenait à la porte pendant que j'hésitais sous les têtes de morues à m'enfourner dans la cabane.

Je n'y étais pas à ma place, aujourd'hui je le sais, pas plus que la boîte à pain métallique, toute neuve, achetée à Mont-Louis, qu'il y avait sur la tablette, à côté de l'évier. Interminable me parut la nuit. La parturiente s'en remettait entièrement à moi et je ne faisais rien alors que j'avais tout sous la main, dans mes précieux portunas, pour l'endormir et la délivrer. Loin de l'aider, je redoublais son mal par mon indifférence et ma cruauté. Au lieu de crier, elle hurlait et continuait de se lamenter entre ses douleurs. La vieille, dans un coin, me regardait avec méfiance et rancune. Horace, inquiet, finit par me demander:

— Allez-vous la laisser mourir?

Je lui expliquai les limites de mon art et ne le persuadai guère: il ne comprenait pas.

— C'est vous qui le savez.

Alors pour lui montrer que, moi, je restais sans inquiétude, je m'encantai, la tête appuyée sur la boîte à pain, et je sommeillai. Je fus parti assez longtemps, une heure ou deux. La vieille en profita pour se rapprocher du lit. Rita se calma. Horace alluma sa pipe et se mit à se bercer, encore perplexe, se demandant de quelle utilité je pouvais être. Il décida à la fin que je ne méritais aucun salaire et fut plutôt content.

Soudain je revins à moi en sursaut, un grand tintamarre dans la tête. Une souris, attirée par le pain, venait de tomber dans la boîte métallique, aussi prise que moi, et menait son vacarme en voulant s'en sortir. Je restais encore ahuri que tout le monde riait aux éclats, le mari, la vieille, et Rita elle-même, oubliant qu'elle accouchait. Audehors, les morues en firent autant sous la lune d'avril et les chiens, alertés, se mirent à aboyer des quatre coins du village.

Horace prit la souris par la queue et, soulevant le rond du poêle, la jeta, toute gigotante, dans le feu. Je me levai. À ma grande satisfaction, le travail s'achevait. Une petite fille naquit, les yeux un peu bridés, que pour un moment, imbu de ma médecine toute neuve, je crus mongolienne.

— Ha! Ha! fit Horace.

Il m'a gardé tous ses respects, bien entendu. Il me trouve seulement un peu capricieux.

— C'est votre droit. Les hurlements de ma femme restaient inutiles; il a fallu cette souris pour vous décider.

Je m'en allai, il faisait jour. Horace Goupil, dit le Rouge, me précéda cérémonieusement, les bras raides, écartés du corps, tenant mes deux précieux portunas à la main. Le soleil n'avait pas encore flambé; il restait jaune, de la couleur de la boîte à pain. J'eus l'impression de la porter sur ma tête. Les têtes de morues redressèrent leurs perches pour mieux me regarder partir. Comment les aurais-je oubliées? Elles me sont restées dans le dos.

Le glas de la Quasimodo

I

Il y avait à Saint-Yvon, dans la paroisse de Cloridorme, au plus haut de la Gaspésie, sur sa voussure du nord, un garçon qui ne promettait pas et surprit tout le monde: il lui arriva même, un jour, de décrocher le bon Dieu du ciel. On l'appelait Gaudias. Il était le fils de Marjorie Côté, le petit-fils d'un premier Gaudias, originaire de Cap-Saint-Ignace, qui, jeune encore, se noya au service du seigneur de Grand-Étang et dont on ne retrouva jamais le corps, emporté par la maraîche. Son nom ne le réjouissait pas et s'il ne promettait pas, c'est qu'il n'y avait pas de promesse à la maison, rien qu'une croix noire sur le mur de la cuisine, à côté de la porte.

Son père Marjorie, obligé de faire l'homme trop jeune, en était resté crampé, pris dans le piquet; il n'avait rien d'encourageant, jamais un mot agréable ni un sourire, toujours à pêcher la morue, seul, sur une saumure qu'il n'aimait point. La mère, tournée vers sa besogne comme une statue de plâtre, était aussi peu affectueuse qu'il était encourageant. Ils avaient eu cinq enfants. Gaudias venait en dernier après quatre sœurs dont la cadette était de cinq ans son aînée. Ces filles trouvèrent d'elles-mêmes ce que leurs parents n'auraient pu leur apprendre, le rire, la joie et les fredons. Penchées au-dessus du petit frère, faisant la chaîne de leurs mains et donnant prise à la tendresse, elles le tirèrent du haut de la margelle, l'aidèrent à sortir du puits, à monter plus vite et à s'épanouir mieux qu'au naturel, avec quelque chose d'impétueux et d'imprévisible qui décontenançait et charmait. La mère s'en trouva vengée, Marjorie Côté de même, du moins délivré de sa fâcheuse hérédité, comme si le premier Gaudias, rendu par la maraîche, était réapparu dans son fils, porteur de joie et bien nommé. Il n'eut pas le cœur de lui tenir tête, rapetissant et courbant à mesure que celui-ci grandissait, bientôt perclus et content, mort et satisfait, dépris de son piquet. Au coin de sa tombe, il rencontra sa femme, enfin sortie de sa statue de plâtre; ensemble ils partirent pour le lointain voyage.

Ils ne laissaient pas grand-chose en héritage, un petit emplacement à Saint-Yvon, près des écorres, haut juché, la maison, le hangar et une échelle, l'échelle par laquelle on descendait sur le plain; là, à quelques brasses, hors du caprice des marées, dans les eaux franches, la barque dansait sur son tangon. Et c'est tout. Les sœurs sont déjà parties, mariées à des cousins lointains, débardeurs dans le port de Montréal. Voilà Gaudias pourvu, même peu nanti. Ce cadet, né de parents farouches, a été élevé dans son caprice comme le Dauphin de France. Beau, débonnaire et vaillant, il est devenu à son heure un bon parti. On croit reconnaître en lui son aïeul qui n'a laissé que des regrets. Il plaît aux femmes de tous les âges et même aux hommes à cause de son père, Marjorie, dur de son corps et courageux. Quatre belles filles, à la même heure que lui, tirées des sept villages de Cloridorme, se mirent aux quatre coins de la paroisse, fières comme des ostensoires, tournées vers lui, au milieu, la bannière levée.

Les sept villages de Cloridorme sont d'amont en aval, Pointe-à-la-Frégate, Petite-Anse, les deux Cloridorme, le petit et le grand, Pointe-Sèche, Saint-Yvon et Grand-Étang. Je ne compte pas la colonie, dans les terres, que Cloridorme partage avec Petite-Vallée, en amont de la Frégate. À Grand-Étang, le chemin passe entre le lac et le barachois et continue dans un portage à n'en plus finir où commence l'étranger dont le premier village est Pointe-Jaune. Je n'irai pas plus loin: ce chemin fait le tour du monde et de Pointe-Jaune nous ramènerait à Petite-Vallée.

Gaudias Côté avait-il des œillères? Il ne regarda aucune des quatre glorieuses et s'en fut bêtement à l'étranger, à Pointe-Jaune justement, d'où il ramena une petite Boule sans prétention, facile et commode, qui se roulait et se mourait d'aise dans son lit. Cette épouse, lui écourtant la bannière, le remit et le garda dans sa condition de pêcheur à Saint-Yvon, humble en vérité. On déchanta sur lui: en moins farouche, avec des manières plus affables, il était bien le fils de Marjorie Côté qui, à la place de la bannière, n'avait eu qu'un piquet. On s'était trompé, voilà tout. Mais le ciel, chaviré à la longue, se retourna: les femmes une autre fois le tirèrent du puits, imprévisible et impétueux. La p'tite Boule ne lui donna que des filles. Les aînées allèrent rejoindre leurs tantes à Montréal, tandis que les deux cadettes restèrent à Saint-Yvon, afin d'aider leur mère à prendre soin de lui, devenu avec l'âge un grand bel homme qu'elles aimaient naturellement et qui occupait toute la place à la maison. C'était la raison de son comportement modeste et de son apparente simplicité: pourquoi serait-il allé chercher ailleurs ce qu'il trouvait chez soi? S'il s'en était tenu à ça, Dieu, déployé au-dessus du monde et de la Gaspésie, que sa gloire dérobe à la vue et qu'on reconnaît à sa lumière, serait resté en suspens dans le ciel.

Seulement, à cause de ses deux filles qui se sont sacrifiées à lui, pour montrer qu'il en est digne et qu'elles n'y perdent rien, Gaudias remonte sa bannière et le voilà parti vers les honneurs de la paroisse et de la municipalité. Élevé dans son caprice comme le Dauphin de France, il croit qu'il lui suffit de briguer un poste de conseiller ou de marguillier pour l'obtenir tout bonnement. Il a oublié les ostensoirs tournés vers lui des quatre coins de la paroisse, les belles filles plantées là, dont il a dédaigné la gloire pour une petite Boule de la Pointe-Jaune; elles, bien mariées, disposant d'une double famille nombreuse et influente, elles ne se rassasient pas de sa défaite. Il y revient. La victoire ne le connaît pas. Au lieu d'en rabattre, il remonte sa bannière. De défaite en défaite, elle devint si haute qu'à la fin il arriva ce que j'ai dit: il décrocha le bon Dieu du ciel sans aucun fracas ni le moindre bruit. Il aurait pu se taire! Il s'en vanta et fut pris à son fait. Cela fit toute l'affaire. Le bon Dieu n'était pas à lui seulement.

— Voyons, Gaudias, ramasse-le!

Sur la liste des propriétaires son nom ne figurait pas en grosses lettres parmi les premiers. Il fallait de bons yeux pour l'apercevoir en minuscules parmi les derniers. On le lui fit savoir. Alors, lui, de demander les noms des plus importants: le curé Langis, Mgr Ross et le pape de Rome. Il ricana que c'était à eux, les premiers intéressés, de le ramasser.

— Non, c'est à toi qui l'as jeté à terre. Ramasse-le, remonte-le, raccroche-le comme avant.

Il ne voulut point.

— Voyons Gaudias, c'est pour le bien public. Tu seras conseiller, maire, marguillier.

— Trop tard.

— Préfet de comté! Député, peut-être.

— Non merci.

Là, il exagère vraiment, au moins autant qu'en acceptant. Quelle tête enflée! Et ce n'est qu'un pêcheur de morue, nullement le mieux placé, sur le rebord d'un escarpement qu'il lui faut descendre et remonter par une échelle

— le plain, la mer, sa barque sont en bas. Et quelle échelle!
Mal radoubée, noire et vilaine.

— Une de ces fois, Gaudias, tu t'y casseras le cou.

La p'tite Boule et ses deux filles, qui ne redoutaient
pas la vilaine échelle, en restent consternées et manifes-
tent leur effroi. C'est plus qu'il n'en faut à Gaudias: le voilà
rengorgé d'aise et de béatitude.

— Et le vent de terre, ne crains-tu pas qu'une nuit il ne
jette ta maison à la mer?

— Le vent de terre est mon ami: quand il passe par
rafales au-dessus des toits, un de ses sifflements m'éveille-
t-il que le suivant me rendort.

— Et la maraîche, Gaudias?

— Elle m'avertit de sa présence: quand je ramène une
morue tranchée net par le milieu du corps, je lève l'ancre et
m'en reviens à terre.

— Lui donnerais-tu la main?

— Jamais de la vie!

Quand on a décroché le bon Dieu du ciel, on n'a pas
vidé la mer de ses monstres. Gaudias Côté ne lui donnerait pas même le bout du petit doigt, à la maraîche. D'ailleurs sa prudence est connue: qui ne l'a pas aperçu dans
son échelle mal radoubée, le pied inquiet, descendant
avec d'infinies précautions? Alors pourquoi ce questionne-
ment? Espère-t-on qu'il y répondra tout de travers comme
un vieux fou? Pas le moindrement: au contraire, on tente
de le ramener à la raison.

— Par la peur?

Par la peur, on ne dira pas non. C'est la plus ancienne
des écoles et l'on y revient toujours. Les jeunes gens
troublent-ils la paix de la nuit? On leur raconte les histoires de la gent ténébreuse et si cela suffit, tant mieux!
Sinon on délègue un vieux narquois qui va se mettre sur
leur passage, le col de son capot remonté sur la tête; alors
eux, les pauvres, ils aperçoivent l'Homme-sans-tête,

rentrent au plus vite et redeviennent de bons enfants. Il ne coûtait pas cher d'essayer l'échelle vermoulue, le vent de terre et la maraîche. On doit convenir toutefois que Gaudias Côté a passé l'âge d'aller à l'école de l'Homme-sans-tête. De plus son cœur n'a pas perdu les pattes de crabe qui servent à l'abuser. S'échauffe-t-il à de bons sentiments, qu'il les ramène à lui-même par ces pattes crochues et s'en avantage. Le cœur ne devient vraiment un cœur qu'après les avoir perdues; il digère alors le crabe et peut enfin aimer. Gaudias a tout gardé, et les pattes et le crabe, plus imbu de soi à mesure qu'il vieillit. Son méfait public tenait du péché d'orgueil; il l'avait commis trop tard pour expier et réparer. Quelque chose de blanc a commencé à poindre dans le noir de sa pupille; il ne considère plus personne et n'entend pas mieux. Encore alerte, méfiant, capable de parer les coups, il n'est à la merci de personne et ne peut être déclaré fou, même s'il en a son grain. Remonta-t-il le bon Dieu qu'il avait décroché du ciel? Vous pensez bien que non. Il s'obstina dans sa superbe. Si elle ne le perdit pas, ça, c'est une autre affaire.

Tout avait été tenté pour le remettre en place, en vain. On continuera quand même de parlementer à son sujet dans les sept villages de Cloridorme et même à l'étranger. On reconsidéra toute son histoire, celle d'un homme rare à sa façon, unique même, et l'on finit par conclure à la fatalité, à savoir qu'un jour ou l'autre Gaudias Côté devait en venir à cette extrémité fâcheuse, que c'était écrit dans le ciel, de la main de Dieu, bien entendu, et que par conséquent on n'avait pas à le juger, seulement à le plaindre, tout en se gardant bien de le lui montrer, de peur de l'humilier.

Gaudias Côté continua d'occuper toute la place à la maison, adulé par la p'tite Boule et ses deux cadettes, de brandir sa bannière à Saint-Yvon et dans tout le Cloridorme, sauf à l'église, plus glorieux qu'un préfet de comté parce qu'il pensait avoir décroché le bon Dieu du ciel. Le curé Langis, par contre, avait perdu son assurance; il restait préoccupé même s'il n'avait rien à se reprocher; il ne sortait plus que rarement, l'allure inquiète et le regard furtif.

II

Environ un mois après le glas de la Quasimodo, Nelly, la fille de Peter Bezeau, seigneur de Grand-Étang, grosse des œuvres du commis, approchait de son terme. Peter Bezeau manda madame Rose, la sage-femme de Saint-Yvon et de Grand-Étang, qui s'amena toute maigre et frétillante dans sa robe de taffetas, énervée comme on ne l'avait jamais vue. Le seigneur lui cria par-dessus ses quatre grands chiens noirs:

— La vieille, tu me répondras de la vie de Nelly!

— Non, je ne répondrai pas de sa vie, Peter Bezeau, pour la bonne raison que je ne l'accoucherai pas.

Ses quatre grands chiens noirs sont furieux, il les retient de près même s'il aurait envie de les lâcher contre Madame Rose.

— Pourquoi ne l'accoucheras-tu pas?

— Depuis une semaine, je manque de tabac à priser.

— Dès demain tu en auras.

— Alors on en reparlera. Aujourd'hui je n'ai rien à ajouter.

Le lendemain, sa tabatière remplie, vite une prise, puis une autre, et Madame Rose retrouve son calme.

— L'avenir me paraît meilleur aujourd'hui qu'hier, Peter Bezeau.

— Est-ce que cela veut dire, la vieille, que tu me réponds de Nelly?

— Tu as de trop grands chiens, Peter Bezeau: ils me font peur pour elle.

— Et moi, ne penses-tu pas que je n'ai pas peur aussi pour elle?

— Seule, dit Madame Rose, jamais je ne répondrai de Nelly. Avec de l'aide, je ne dis pas. Pour l'enfant, j'aurai besoin de Madame Marie, toujours à bout de souffle et craignant de manquer d'air: dès qu'il sera dans ses bras, l'enfant se mettra à crier de colère comme un petit Dieu.

— Et pour Nelly?

— Il faudra aller plus loin, à Mont-Louis. Il n'y a que Madame Théodora qui soit capable de répondre d'elle par-dessus tes quatre grands chiens noirs, Peter Bezeau.

Ainsi se trouvèrent réunies les trois matrones à l'hôtel du petit Cloridorme, que tenait la veuve Bernachez. Ce fut Madame Théodora qui décida du lieu, mais sans l'exiger; une femme de son autorité n'a pas besoin de demander: on va au-devant de ses désirs. Peter Bezeau était allé la chercher lui-même à Mont-Louis. La sachant apparentée à l'hôtelière, il lui demanda:

— Madame Théodora, n'auriez-vous pas une cousine à Cloridorme?

— Oui, Louise que je n'ai pas revue depuis vingt ans; c'est incroyable parce que nous étions de grandes amies.

Peter Bezeau ne voulut pas en savoir davantage. Avant de ramener Madame Théodora au petit Cloridorme, il alla lui montrer sa fille.

— Me répondez-vous d'elle?

— Aujourd'hui, non, demain non plus. Après-demain, oui, mais qu'elle n'en sache rien: je lui ai dit que rien n'arriverait avant cinq jours. En attendant, qu'elle lave les planchers. Nelly est une vraie femme, forte, avec de longues cuisses comme je les aime.

Le seigneur de Grand-Étang, rassuré, ramena Madame Théodora à l'hôtel du petit Cloridorme où sa cousine Louise, l'hôtelière, l'attendait. Le concile des trois matrones commença le soir même. On traita de tous les grands sujets, moins un. Après deux jours, Madame Rose n'avait pas encore touché un seul mot de Gaudias Côté. Il ne fallait pas compter sur Madame Marie, toujours à rire. Quant à la veuve Bernachez, n'étant pas native de Cloridorme, elle était plus encore tenue à la discrétion que les deux commères. Il fallut que Madame Théodora attaquât le sujet:

— Savez-vous ce que j'ai appris à Mont-Louis? que vous auriez à Saint-Yvon une sorte de mort vivant, que les curés appellent un excommunié.

— Oui, Gaudias Côté. Il n'a pas fait ses pâques. On a sonné pour lui le glas de la Quasimodo.

Et Madame Rose de lui faire l'histoire de Gaudias à peu près comme je l'ai contée.

— Décrocher le bon Dieu du ciel, fit Madame Théodora, quelle invention curieuse!

— Il aurait pu se taire! Il s'en est vanté et fut pris à son fait.

La veuve Bernachez souriait et montrait qu'elle n'accordait pas à cette histoire une entière créance.

— Qu'en dis-tu, Louise?

— C'est une histoire qui en cache une autre.

Madame Rose ne la prisa pas.

— De quelle autre histoire parlez-vous? Le glas de la Quasimodo a-t-il sonné ou non, le mois dernier?

— Oui, Madame Rose, et c'était pour Gaudias Côté.

— Parce qu'il avait décroché le bon Dieu du ciel.

— Sans bruit ni fracas, dit l'hôtelière, comme une petite souris.

— C'était le bon Dieu quand même.

— Ça, qui peut le savoir?

— Le curé, déclara Madame Rose.

Une prise de tabac n'attendait pas l'autre. Elle n'arrêtait pas de frétiller. Elle répéta trois fois: «Le curé.» Par contre la veuve Bernachez ne bronchait pas.

— Et la bible? dit-elle.

— Quelle bible? demanda Madame Rose.

— La bible que Gaudias a reçue en cadeau d'un parent de Montréal et qui n'était sûrement pas bénite; c'est elle qui l'a dérangé.

— Bénite ou pas, la bible reste l'affaire des curés, dit Madame Rose. Ils se prononcent et tout est dit. Or, dans le cas de Gaudias, le curé Langis n'en a même pas parlé. Il sait bien, lui, que ce n'est pas cette bible qui lui a changé le caractère. Il avait le caractère d'un homme qui ne peut rien souffrir au-dessus de sa tête. Un jour ou l'autre, il devait en finir comme il l'a fait. Que lui importe à présent qu'il y ait des seigneurs, des échevins, des rois plus puissants que lui, pauvre pêcheur de Saint-Yvon, puisqu'il a détrôné Dieu du ciel, qui est plus puissant que tous les rois, les seigneurs, les échevins de la terre?

Madame Théodora donna raison à l'irascible Madame Rose pour la faire taire, curieuse d'entendre la version de sa cousine, l'hôtelière.

— Une fois le parent reparti, dit celle-ci, Gaudias se plonge dans le gros livre et ne le quitte plus, lisant jour et nuit, qu'il ne l'ait fini. Il relève alors la tête, tout ahuri, et déclare que ce n'est pas croyable, qu'il n'avait jamais vu un tel paquet de mensonges, que la religion n'est qu'une mômerie et ses représentants des farceurs. Sa décision est prise: jamais plus il ne remettra les pieds à l'église. Décrocha-t-il le bon Dieu du ciel? Cela me semble une façon de parler comme dans les contes. Le curé Langis a été averti de tout, de la Bible lue sans permission et des conséquences que Gaudias en avait tirées. Il ne pouvait pas se rendre à Saint-Yvon pour aller se disputer avec un esprit aussi furieux. Il a simplement conseillé de ne pas le contredire et de prier pour lui. Puis, il a attendu. L'automne passa, l'hiver advint. Du haut de sa chaire, chaque dimanche, le curé scrutait la nef, en vain. À la fin du

Carême, il se mit aux aguets dans le confessionnal. Il reconnut la p'tite Boule et ses deux filles qui s'accusaient de péchés simplets, à qui, le cœur content, il donna trois fois l'absolution et comme pénitence de joindre leurs cœurs au sien pour implorer la conversion d'un pécheur qu'elles connaissaient aussi bien que lui. La p'tite Boule et ses deux filles prièrent à l'église, à la vue de tous, humblement prosternées. À la maison, on ne sait pas. Après tout, elles devaient respect et soumission à Gaudias. Il était encore assez bon de les laisser aller à la messe et faire leurs pâques, lui qui n'y allait plus et ne les fit point. Le dimanche de la Quasimodo, le curé Langis détailla ses fidèles l'un après l'autre, puis entreprit un sermon qui ne s'adressait pas à eux, les prenant à témoin; il parlait à un seul et celui-là n'y était pas. Après la grand-messe, au lieu de se dépêcher d'aller manger, il vint sur le perron de l'église et regarda longtemps du côté de Saint-Yvon. Derrière lui, dans le portique, le bedeau attendait son signal. Tout le monde était reparti avec plus de hâte que d'habitude et le curé Langis, resté seul, se décida enfin à faire signe au bedeau. Alors, dans le ciel muet, si beau, si clair, ce jour-là, qu'il semblait presquement vide, les sept villages de Cloridorme, aux aguets, entendirent tinter le glas de la Quasimodo. C'était la première fois et l'on savait pour qui, pour un grand bel homme qui se tenait raide, les yeux secs, dans sa petite maison sur le rebord de la falaise à Saint-Yvon, en compagnie de sa femme et de ses deux filles émues, retenant ou cachant leurs larmes, et qui l'entendait de son vivant. Quel était son sentiment? On se garda bien de le lui demander.

Ainsi parla la veuve Bernachez, l'hôtelière du petit Cloridorme, mais sans réussir à démasquer par son récit le conte de Madame Rose; il était peut-être plus exact, l'autre n'en restait pas moins vrai. Par leur concorde, ils se rehaussaient l'un l'autre, plus unis et plus simples d'être plus complexes et variés. Madame Théodora hocha la tête, le corps droit, les mains sur les genoux: «Quand même, dit-elle, Gaudias est un nom de joie et de fête.»

— À Mont-Louis, dit Madame Marie.

— Ici, dit Madame Rose, il ne porte pas chance. Le premier Gaudias est disparu en mer, emporté par la maraîche, et vous savez à présent ce qui est arrivé au deuxième: vivant, il a entendu le glas de sa mort.

— Il ne s'en porte pas plus mal, dit Madame Théodora. On goûte peut-être mieux la vie après le glas. En tout cas, quelle belle place pour une dernière fête! En revenant de Grand-Étang, j'arrêterai à Saint-Yvon et je dirai à Gaudias Côté: «Je suis Madame Théodora et je m'en viens pour danser avec toi.» Et nous danserons ensemble. Imaginez un peu quel bon violoneux il y aura là, sur le rebord de la falaise.

Or, on en était rendu au troisième jour. Une voiture arrêta devant l'hôtel, le commis du seigneur entra et dit: «Vite, Mesdames, on vous attend.» Madame Marie et Madame Rose ne tardèrent pas à être prêtes. Madame Théodora resta dans son fauteuil; elle examinait le commis: «En voilà un autre, dit-elle à sa cousine, qui la remontera bientôt, sa bannière. Moi, les hommes à bannières, je les aime bien même s'ils me font rire un peu: je ne peux m'empêcher de penser que ce sont eux, les vraies guidounes.

— Et Gaudias Côté? demanda l'hôtelière.

— Oui, bien entendu, mais comme les autres, il n'en sait rien; c'est ça qui fait leur charme.

— Voyons, disait le commis, faites quelque chose, dépêchez-vous, Madame Théodora! Le père de Nelly vous attend derrière ses quatre chiens noirs. Nelly a commencé de geindre et de gémir. Les chiens ne sont pas loin d'être enragés.

Madame Théodora ne bronchait pas. Elle continua de converser avec sa cousine, l'hôtelière.

— Dans cette affaire, c'est le glas qui m'inquiète: n'aurait-il pas fêlé le ciel? N'avions-nous pas assez de nos vieilles terreurs humaines? Le plus puni ne sera pas celui qu'on pense; ce sera le curé Langis, le pauvre homme!

— La seule chose que je souhaite, moi, dit la veuve Bernachez, c'est que ce glas ne sonnera plus jamais.

Le commis ne tenait plus en place, son fouet de cocher à la main; il se mit à le faire claquer. Madame Théodora se leva, mit sa bougrine et montra la porte à cet excité:

— Toi, passe le premier et va remettre ce fouet dans son fourreau. Ensuite tu nous mèneras au petit trot. Ta Nelly est moins pressée que toi; elle saura nous attendre, tu verras. Et compte-toi chanceux: je ne te demanderai pas d'arrêter à Saint-Yvon en passant.

Madame Théodora en imposait aux hommes par sa froide détermination et le savait; en retour elle avait pour eux de la condescendance et son ironie où se mêlait de l'amusement, parfois une vague tendresse, achevait de les subjuguer. Le commis, ayant remis le fouet au fourreau, se risqua à lui demander pourquoi elle se serait arrêtée à Saint-Yvon.

— Pauvre toi, lui dit-elle, tu ne sais donc pas qu'il y a là un homme de mon âge, de ma pointure et de ma façon, qui ne peut souffrir personne au-dessus de sa tête?

— Vous voulez parler de Gaudias Côté.

— Oui, mon garçon. Je ne crois pas que nous nous adonnerions longtemps ensemble, mais il ne me déplairait pas de danser un peu avec lui: il y a bien des années que je n'ai pas rencontré un homme assez infatué pour me tenir tête.

Le commis de Peter Bezeau, dont la fille Nelly était grosse de ses œuvres et qui voulait tout avoir, l'enfant, la fille et la seigneurie, ralentit le pas des chevaux. Il aurait voulu avouer à Madame Théodora qu'il rêvait lui-aussi d'une fête, une fois qu'il aurait décroché le vieux seigneur du ciel de Grand-Étang, d'une fête qu'il donnerait entre le lac et le barachois, à laquelle elle serait invitée. Mais il jugea plus prudent de se taire. Aussi fut-il diablement surpris de l'entendre dire: «Mais oui, mon petit, on y viendra, à ta fête. Je te vois déjà: eh! tu la porteras bien haute, ta bannière, ce jour-là.»

Nelly mit au monde un bel enfant. Madame Théodora avait tenu parole. Peter Bezeau se fit un honneur d'aller la reconduire à Mont-Louis. Ils arrêtèrent, bien entendu, à Saint-Yvon. Madame Théodora et Gaudias Côté firent trois tours de danse devant la maison, sur le rebord de la falaise. Ils formaient un merveilleux couple, lui, le grand bel homme, d'une fatuité de dieu, elle, encore bien prise, alerte, qui n'avait peur de rien et se riait de tout, même de son danseur. Peter Bezeau ne put y tenir; il demanda à Gaudias Côté la permission de faire, lui aussi, un tour de danse avec Madame Théodora. Et l'on prétendit que Dieu alors, toujours en place dans le ciel, au plus haut de la Gaspésie, sur sa voussure du nord, se laissa distraire du reste du monde et porta toute sa complaisance sur ces trois gaillards qui le fêtaient à leur façon et n'en savaient rien.

III

Alors que Gaudias Côté se carrait d'aise, grand bel homme glorieux, le curé Langis qui, durant plus de quinze ans, avait administré Cloridorme avec prudence et bénignité, y perdait sa douce habitude et devenait inquiet à cause du ciel qu'il avait ébranlé en y faisant sonner le glas de la Quasimodo. Certes, il en avait le pouvoir, même s'il s'agissait d'un pouvoir qu'on n'avait jamais exercé auparavant et dont on ignorait les conséquences, mais ne s'était-il pas laissé emporter à le confondre avec son devoir? Cela arrive souvent à qui est en place, tentation inhérente à tout pouvoir. Avait-il cédé à cette tentation grossière? Il se rendit compte peu à peu que ses paroissiens, sans le blâmer, doutaient de l'opportunité de sa décision: Gaudias, le superbe, n'avait pas été confondu et le ciel en était peut-être resté fêlé. Alors la prédiction de Madame Théodora se réalisa: ce fut lui, le curé Langis, qui subit la punition ou plutôt se l'infligea. Pénétré de regrets, malheureux, il alla se jeter aux pieds de Mgr Ross, à Gaspé, et pria Sa Grandeur de le changer de cure. Mgr Ross, derrière son lorgnon, eut un singulier petit sourire et ne posa aucune question au curé Langis. Il lui proposa Mont-Louis. La réponse fut immédiate:

— Non, Votre Grandeur, toute autre que celle-là!

Mgr Ross ne se départit pas de son curieux petit sourire. Il avait sans doute appris que Madame Théodora, la sage-femme de Mont-Louis, s'était arrêtée à Saint-Yvon et qu'elle y avait fait trois tours de danse avec Gaudias Côté, prenant manifestement son parti.

— Pauvre curé Langis, je n'ai rien d'autre qui convienne à votre mérite. J'ose à peine vous mentionner une paroisse, nouvellement ouverte dans l'arrière-pays de la Baie-des-Chaleurs, digne d'un vicaire robuste, au début de sa carrière ecclésiastique.

Quitte à déchoir, le curé Langis préféra cette paroisse et fut remplacé à Cloridorme par l'abbé Onil Théoret, un jeune prêtre dévoré par l'amour de Dieu, maigre et absolu, qui avait déjà une réputation de saint, acquise chez les Sauvages et les Paspéïas, qu'il rendait fous par ses prédications. Il arriva pour les Fêtes, plus de deux ans après le glas de la Quasimodo, et se mit à l'œuvre: apprenait-il qu'un paroissien était malade, il partait sans attendre qu'on vînt le chercher. C'était un grand marcheur, plus un missionnaire qu'un curé. Rien ne l'arrêtait, distance, nuit ni tempête. Après avoir admiré son zèle, on redouta sa frénésie. Entreprenait-il une âme, qu'il ne la lâchait plus. Il exigeait beaucoup, rien moins que la sainteté, de gens modestes qui ne recherchaient dans la religion que de tranquilles arrangements, non le perpétuel dérangement du qui-vive et des élans. On le mit sur la piste de Gaudias Côté, le voilà dans Saint-Yvon et Gaudias, surpris, de lui demander qui l'a invité.

— Invité, moi? Personne. Dieu m'a commandé de venir et je suis venu.

— Puisque vous y voici, vous pouvez repartir. Et rappelez donc à Dieu que vous n'êtes plus chez les Sauvages, ici, où l'on entre et sort comme on veut.

Le curé Théoret se le tint pour dit; il n'entra plus chez Gaudias, mais venait-il à Saint-Yvon, qu'il faisait un détour pour s'agenouiller devant sa maison, les bras en croix. Il y restait dix à vingt minutes sans se soucier des cochons qui, l'hiver, vaquent dans le village et qui, d'un naturel curieux et familier, ne manquaient jamais de l'entourer.

— C'est un saint, disait Gaudias. Ces cochons-là, il finira bien par les convertir. Alors, durant la Semaine Sainte, on pourra s'en régaler.

Pendant le Carême, il jeta le grappin sur le vieil Euchariste Francœur, de Pointe-à-la-Frégate, ancien contrebandier qui avait pris sa retraite au bon moment, avant d'être saisi par la gendarmerie et ruiné comme tant de ses pareils, trop ambitieux. C'était un homme content de lui, fier de sa vie et de ses prouesses, à l'aise, qui avait toujours compagnie pour l'entendre se raconter à perte de vue et sans jamais rejoindre le bout de son plaisir. Aux jours gras, il but une pinte de trop, tomba sur le rebord de la table et se fractura une côte. Jamais il n'avait souffert de sa vie; il crut ressentir l'aiguillon de la mort et fit appeler le curé qui, après un bref interrogatoire, reconnut en lui un franc païen.

— Satan vous attend, cher Monsieur Francœur.

— Je ne veux pas lui revoir sa maudite face rouge sous sa casquette de police.

— Avant de penser à comparaître devant Dieu, il vous faudra vous préparer, apprendre à détester ce dont vous vous êtes délecté, avoir la contrition de vos plaisirs comme de vos péchés.

— Ça ne sera pas facile, dit le bonhomme.

Le curé pensa quant à lui:

— Plus facile encore que de rendre en bonnes œuvres l'argent de la contrebande.

Une autre difficulté survint, celle-là pour le curé: en moins de temps qu'il ne l'aurait voulu, le cal rabouta la fracture et l'aiguillon de la mort s'en trouvait émoussé: «Je devrai me dépêcher, sinon je vais tout perdre.» Le curé Onil Théoret ne marcha jamais autant que durant les semaines qui suivirent. Il était au chevet du vieil Euchariste presque tous les soirs, lui bousculant l'âme, lui gardant le corps cloué au lit, sous prétexte qu'un éclat d'os risquait de lui percer l'enveloppe du poumon. Le convertisseur soupait de bonne heure au grand Cloridorme où se trouve l'église qui dessert les sept villages, gagnait sur le plat le petit Cloridorme et par côtes les hauteurs de la Petite-Anse, d'où il descendait à la Frégate. Il livrait combat, laissait le vieil Euchariste épuisé et s'en revenait au presbytère par le même chemin. Il se trouvait à passer et à repasser près d'une petite maison rouge à toit noir, les volets toujours clos, sur les hauteurs de Petite-Anse, qui ne tarda pas à l'intriguer: alors que les volets ne laissaient filtrer aucune lumière, un bruit de violon en émanait. Il pensa qu'on y menait le bal en plein Carême et s'en informa.

— Mais c'est la maison de Madame Marie et du beau Samuel! Les volets clos? Eh! ils vieillissent et se mettent au lit à l'heure des poules.

— Que je vienne ou m'en retourne, j'entends un violon infatigable comme si le diable y menait le bal jusqu'au matin.

— Madame Marie et le beau Samuel, commère et compère du diable, vous me faites rire, curé Théoret, dit le vieil Euchariste.

— Ne riez pas trop vite, cher Monsieur Francœur: la toilette de votre âme n'en finit pas. J'aurais déjà dû vous présenter au Seigneur sur les parvis du ciel, entouré d'anges, et je n'y arrive pas. C'est peut-être à cause de ce maudit violon. Depuis que je l'entends, je ne peux m'empêcher de penser que les puissances de l'enfer se liguent pour empêcher votre conversion et votre salut.

Or, le vieil Euchariste n'avait pas une folle envie de monter sur les parvis célestes, entouré d'anges: de quoi aurait-il l'air? D'un vieux singe dans une robe d'enfant de Marie. Il ne serait pas damné, mais risquait de faire rire de lui pendant toute l'éternité. Et pourquoi toujours lui parler de mort, le garder immobile à respirer du bout des lèvres comme un mourant? À cause de l'éclat d'os qui aurait pu le poignarder? Et s'il n'y en avait pas? Il pourrait essayer de rire un peu. Il s'y essaya tout seul. À ce bruit on se précipita dans sa chambre, tout effaré.

— Qu'avez-vous? lui demanda-t-on.

— Eh bien! répondit-il, je n'ai pas encore désappris à rire.

Et il rit de plus belle. On le regarda avec de grands airs: on commençait à être fatigué de sa maladie à la maison, à souhaiter sincèrement la délivrance de son âme. Et au lieu de gémir, il riait. Le vieil Euchariste n'eut pas de mal à lire ce que cachaient les grands airs: si on l'avait pu, on l'aurait enterré vivant. Aussi s'empressa-t-il de dire: «Si je ris, je vis et si je vis, vous ne serez pas perdants: l'argent de la contrebande ne sera pas rendu en bonnes œuvres.»

On perdit les grands airs:

— Parce que le curé...

— Quoi! vous n'avez pas compris qu'il est toujours après moi pour ça! Bien mal acquis tu rendras. Mais à bien y penser, quand cet argent vous reviendra par héritage, il sera aussi net, aussi propre que dans les bonnes œuvres du curé Théoret.

Le vieil Euchariste avait touché juste: on ne voulut plus du tout de sa mort. Ce lui fut d'un grand réconfort. On venait tour à tour lui mettre la main sur l'épaule en lui demandant de rire un peu: il riait et tous les siens riaient avec lui. Cela remit de l'optimisme dans la place.

— Demain matin, déclara le bonhomme, j'en aurai le cœur net: vous irez me chercher Madame Marie. S'il y a une personne habile dans l'art de la respiration, c'est bien elle. Je me demande un peu pourquoi je n'y ai pas pensé avant ce soir.

— Madame Marie est habile à aller chercher le premier cri dans la gorge du nouveau-né: vous n'en êtes plus là, mon père!

— Ce n'est pas tout; elle a l'instinct de la vie. Quand elle entre dans une maison et trouve la mort en place, elle se met à manquer d'air, elle se pâme, on ne peut pas la retenir.

Le lendemain matin, Madame Marie entre chez le vieil Euchariste Francœur qui, de son grand lit, la regarde avec un peu d'appréhension, mais la voici aussitôt qui se met à rire.

— Ce n'est pas drôle, Marie. Je suis retombé en enfance si loin que j'ai l'impression d'arriver au monde encore dans l'incapacité de prendre mon souffle.

— Tourne-toi sur le ventre, Euchariste Francœur.

Il se tourne, elle lui rabat un grand coup de poing dans le reinquier auquel il ne s'attendait pas; il lui crie: «Vieille maudite!» puis se dévire et se met à rire, mais à rire: la vieille maudite, elle l'a guéri.

— Qu'est-ce que tu me voulais, Euchariste?

— Que tu viennes déjeuner avec moi en l'honneur de ma guérison.

Il se leva, lui qui était cloué au lit depuis un mois, se mit à table et mangea avec elle.

— Tu deviendrais sorcière, Marie, à ce qu'on dit: tu mènerais le bal toutes les nuits du Carême?

— Sorcière, voilà un bien grand mot! Mon neveu Eudore s'était acheté un beau violon chez Monsieur Didier Lebreux, le luthier de Petite-Vallée, mais comment pratiquer? La maison, chez lui, dans la colonie est pleine d'enfants. Alors il est venu passer le Carême avec nous. On ferme les volets pour empêcher les racontars. Cela n'a rien de désagréable: le beau Samuel et moi, on dort dans une boîte à musique comme si l'on avait encore vingt ans.

Il restait à congédier le curé Onil Théoret. Quand il s'amène, ce soir-là, il trouve son mourant, le verre à la main, qui trinque avec deux compagnons d'aventure. Le vieux païen s'écrie en l'apercevant:

— Monsieur le curé, trois fois merci! Vous m'avez sauvé la vie, c'est un miracle dont on parlera encore long-temps, je vous prie de le croire.

— Et votre âme, Monsieur Francœur?

— Mon âme est une loutre.

— Votre âme, une loutre?

— Elle est retournée dans les profondeurs de mon corps. Son heure de sortir pour vendre sa peau au bon Dieu n'était pas encore venue, il faut croire. Si je la sentais remonter, vous seriez le premier averti, Monsieur le curé. Et cette fois, à nous deux, on la poignera, je vous le promets.

IV

En revenant de la Frégate vers le grand Cloridorme plus tôt que d'habitude, le curé Onil Théoret s'arrêta à la maison rouge, au toit noir, sur les hauteurs de Petite-Anse, où l'on menait le bal. Les contrevents fermés, personne ne pouvait l'apercevoir. Il s'approcha d'une fenêtre, c'était la fenêtre de la chambre de Madame Marie et du beau Samuel. Le violoneux exécutait le reel de la jolie boiteuse en tapant de la semelle.

— Eudore, cria une voix dans la chambre.

La jolie boiteuse resta un pied en l'air.

— Oui, ma tante Marie, dit le violoneux.

— Eudore, j'aurais quelque chose à te dire.

Le violoneux se rapprocha.

— Je vous écoute, ma tante.

— Cela n'a guère d'importance, mon petit garçon; ton oncle Samuel aurait préféré que je ne t'en parle pas. Seulement il a pris une pinte de trop chez le bonhomme Euchariste Francœur; il dort comme une bûche, je vais te dire ce que j'ai appris: il y a un écornifleur qui vient t'écouter chaque soir.

— Eh bien! ma tante, est-ce qu'il trouve que je fais des progrès?

— Je ne voudrais pas te faire de peine, Eudore: à ce que j'ai compris, il n'a rien d'un connaisseur; c'est même un malveillant. La seule chose qui l'intéresse, c'est le bal que tu mènes durant le Carême, toute la nuit jusqu'au matin.

— Quel bal, ma tante? Je ne fais que pratiquer et, à minuit, j'en ai fini.

— Oui, je sais, Eudore, et ton oncle Samuel est d'avis qu'il ne faut pas s'en occuper. Mais moi, je m'en fais du souci. Le curé pourrait en entendre parler tout de travers et me faire des ennuis, dimanche prochain.

— Quels ennuis, ma tante Marie?

— Dimanche prochain sera la dimanche des Rameaux, Eudore, le dimanche où chaque année je dois passer par la maudite petite armoire à balais. La confession, c'est pour moi un vrai supplice. Après, nous communions à la basse messe et nos pâques sont faites. Quand je sors de l'église, je suis si contente que je jetterais mon bonnet en l'air, que je me roulerais dans la neige... J'ai pensé que pour une petite semaine, tu pourrais cesser ta belle musique, Eudore. Après tu recommenceras comme avant.

— Même durant la Semaine Sainte?

— Pourquoi pas? Mes pâques seront faites.

Le curé Théoret en eut assez pour son compte; le confessionnal comparé à une armoire à balais, une étrange aversion pour le saint sacrement de la Pénitence et le bal qui recommencerait durant la Semaine Sainte. Cette Madame Marie n'était pas loin d'être une sorcière.

Le lendemain, elle en devenait une, au complet; le curé avait appris que le matin même de son renvoi de la Frégate, elle avait remis sur pied ce païen d'Eucariste Francœur qu'il se donnait tant de mal à convertir.

Le dimanche des Rameaux arrive. Le beau Samuel dit à Madame Marie:

— Je passerai le premier au confessionnal. Si quelque chose accroche, je t'avertis.

Il y entre, s'accuse de péchés simplets, aussitôt absous, une dizaine de chapelet pour pénitence, allez et ne péchez plus. Il sort tout guilleret, fait signe à Madame

Marie d'y entrer sans crainte. Il a oublié une chose: le curé ne connaît pas sa voix et n'a donc pu l'identifier. Madame Marie reprend son souffle et pénètre dans la p'tite armoire à balais. Qu'on imagine un peu comme elle s'y trouve à l'étroit: une fois, un neveu les emmena, elle et le beau Samuel, dans la Vallée-d'Esdras, en arrière de Grande-Vallée, pour y voir un de leurs cousins; à mesure qu'on s'enfonçait, les bords de la vallée se rapprochaient et Madame Marie respirait plus dru; bientôt elle n'y suffisait plus et criait: «À la mer! à la mer!» Il fallut la ramener. Il y a quand même plus d'espace dans la Vallée-d'Esdras que dans le petit confessionnal de Cloridorme où la voici: le curé ouvre le guichet, aussitôt elle lui débite la liste de ses péchés simplets et s'arrête au bout. Au lieu de l'absoudre, il lui demande onctueusement si elle n'avait rien d'autre à accuser. Non, elle n'a rien. Alors, lui qui l'attendait, qui l'a reconnue, ne fait ni une ni deux: vlan! il lui ferme le guichet au nez.

Madame Marie sortit du confessionnal ahurie et tremblante. Elle se ressaisit un peu en apercevant le beau Samuel qui la regardait avec appréhension.

— Toi, viens-t'en, lui dit-elle.

Il la suivit sans dire un mot. Alors elle, elle éclate et se met à répéter à tue-tête: «Il m'a fermé le guichet au nez! Il m'a fermé le guichet au nez!» Elle se retrouve sur le perron de l'église sans manteau ni chapeau.

— Ton manteau? Ton chapeau? dit le beau Samuel.

— Je n'ai plus besoin de ça. Jamais plus je ne remettrai les pieds ici! Toi, mon beau Samuel, viens-t'en vite à la maison.

— Mais ton manteau? Mais ton chapeau?

— Tu me laisses insulter par un curé qui me ferme le guichet au nez et tu ne trouves rien d'autre que de me répéter: «Mais ton manteau? Mais ton chapeau?» Tu me fais pitié, Samuel: penses-tu que Gaudias Côté laisserait traiter sa p'tite Boule comme je viens de l'être?

Un attroupement de curieux s'était formé autour d'eux, sur le perron de l'église. Le beau Samuel ne savait plus où donner de la tête; il ne voulait pas abandonner Madame Marie dans l'état où elle se trouvait; il ne pouvait pas non plus lui laisser attraper son coup de mort en robe et nu-tête. Par chance quelqu'un était allé chercher le linge et le rapportait. Madame Marie s'empressa de le mettre et partit à pied vers Petite-Anse, suivie par le beau Samuel, perplexe, qui se demandait comment l'affaire allait s'arranger si elle continuait à se gâter. Une voiture de la Pointe-Sèche les rejoignit: «Je viens d'apprendre ce qui s'est passé, dit l'homme; montez, je vais aller vous reconduire.»

— Ce qui s'est passé, Monsieur, reprit Madame Marie, n'est rien auprès de ce qui se passera. Quoi! tu entres dans un confessionnal et moi, dans un confessionnal, je suis aussi mal à l'aise que dans une armoire à balais: je manque d'air, j'étouffe. Tu parviens quand même à débiter tes péchés et à la fin, au lieu de l'absolution, tu te fais demander: «Est-ce tout, ma sœur?» Tu réponds oui parce que c'est toi qui les connais, tes péchés, et non lui, le curé, mais c'est lui alors qui te ferme le guichet au nez.

— Parce qu'il vous a fermé le guichet au nez?

— Oui, vlan! S'il pense que je vais revenir pour m'expliquer avec lui, il se trompe, Monsieur! Je rentre à la maison et n'en sortirai plus qu'après la Quasimodo.

Quand ils furent rendus, Madame Marie remercia l'homme de la Pointe-Sèche. «Et puis, ajouta-t-elle, comme il n'y a pas loin de chez vous à Saint-Yvon, si vous rencontrez Gaudias Côté, vous le saluerez de ma part.»

— Je m'en ferai un point d'honneur, Madame, répondit l'homme de la Pointe-Sèche.

Quand ils furent entrés, le beau Samuel fit remarquer à Madame Marie qu'à l'entendre parler, on avait quasiment l'impression qu'elle était tombée amoureuse de Gaudias Côté.

— Justement, bonhomme, il y a un point à régler entre nous: tout s'est bien arrangé pour toi au confessionnal; rien ne t'empêche de faire tes pâques, mais les feras-tu sans moi?

— Il n'y a rien là qu'un malentendu; d'ici à la Quasimodo, dans quinze jours, il n'en sera plus question; nous ferons nos pâques ensemble.

— Tu ne réponds pas à ma question, Samuel. Le glas de la Quasimodo a sonné pour Gaudias Côté, non pour la p'tite Boule et ses deux filles; penses-tu que c'était juste? Et maintenant il sonnerait pour moi, non pour toi: très bien, c'est une excellente occasion pour rétablir la justice: tu m'échangeras contre la p'tite Boule, oui, parfaitement, contre la p'tite Boule! Et tu prendras les deux filles par-dessus le marché, vieux scélérat!

Le beau Samuel voulut rire, Madame Marie le lui coupa court: elle parlait très sérieusement, hors de tout doute. Alors, déconfit, perplexe comme il ne l'avait jamais été, il mit son manteau, son chapeau, et sortit «pour aller arranger ça», dit-il. Dans le chemin, il tourna d'un côté puis de l'autre: il ne savait pas où aller. Il se décida enfin pour le vieil Euchariste qu'il trouva à peu près au courant de tout.

— Eh bien! Samuel, il paraît que le glas de la Quasimodo va sonner une autre fois à Cloridorme. Pauvre Marie! se faire fermer le guichet au nez, elle, la meilleure personne du monde!

— Tu ne penses pas à moi, Euchariste.

— Tout s'est bien passé pour toi, tu as reçu l'absolution, il ne te reste plus qu'à faire tes pâques.

— Et si je ne les faisais pas?

— Il te faudrait une raison: tu n'en as pas.

— Eh bien! tu te trompes: j'en ai une, et une fameuse! Sais-tu ce que Marie m'a appris: qu'elle n'a jamais trouvé juste que le glas ait sonné pour Gaudias, non pour la p'tite

Boule. Alors c'est bien simple: si le glas venait à sonner pour elle, non pour moi, elle m'échange contre Gaudias.

Le vieil Euchariste se mit à rire et pointant du doigt le beau Samuel il essayait de parler et n'y parvenait pas: le fou rire le reprenait de plus belle.

— Toi!... Toi!... Toi!... faisait-il.

Enfin il y parvint.

— Toi, Samuel, tu aurais la p'tite Boule?

— Oui, répondit le beau Samuel.

Le vieil Euchariste était enchanté.

— Il faut bien l'avouer, quand les femmes s'y mettent, elles sont fameuses. Sans compter que Madame Marie a bougrement raison: tu étais en train de perdre ta dignité, elle t'a rattrapé par le chignon, Samuel. Tu la féliciteras de ma part.

À la fin de ce dimanche des Rameaux, les sept villages de Cloridorme étaient au courant de la résolution de Madame Marie d'échanger le beau Samuel contre Gaudias Côté s'il avait l'audace de faire ses pâques qu'elle avait décidé, elle, de ne point faire. Quant au glas de la Quasimodo qui, selon toute vraisemblance, allait sonner une autre fois, il était devenu une affaire secondaire, une banale répétition, le ciel dût-il en rester fêlé à tout jamais. La nouvelle courut à l'étranger. Madame Théodora ne cacha pas son plaisir, car en sage-femme avisée, en vraie matrone, elle n'avait pas les hommes en haute estime, même le fameux Gaudias avec qui elle avait dansé sur le rebord de la falaise, à Saint-Yvon, pour narguer le curé Langis et l'encourager dans sa rébellion. À Gaspé, par contre, Sa Grandeur Mgr Ross fut consternée; elle envoya aussitôt le chanoine Philias Mainville mener enquête à Cloridorme.

V

Ce chanoine-là n'avait pas la passion de Dieu ni la charité d'un ange. Il était avant tout un Canadien. Arrivait-il qu'un Anglais mourût d'accident, il disait: «Un de moins», content que la victime ne fût pas des nôtres car cela arrivait aussi et alors il en était attristé. Il trouvait la paix dans un Dieu indiscutable, latin et muet. Il en parlait le moins possible, avec une impartialité qui tenait de l'indifférence et dont Sa Grandeur, plus impétueuse, appréciait la sagesse. Le chanoine Mainville avait désapprouvé le curé Langis d'avoir fait sonner le glas pour Gaudias Côté, un fanfaron qui n'en méritait pas tant, mais il conseilla quand même à l'évêque de ne pas l'en empêcher; par la prudence et la bénignité de son administration paroissiale, le curé avait acquis le droit de se tromper sur une question qui, d'ailleurs relevait de sa compétence: «Il veut ébranler le ciel, le pouvoir lui monte à la tête; il s'en est fait un devoir, Sa Grandeur n'y peut rien; c'est lui qui en subira les conséquences.» En effet, humilié, le curé Langis était allé se cacher dans une pauvre paroisse de l'arrière-pays, abandonnant sa belle cure à l'abbé Onil Théoret qui, lui, avait la passion de Dieu et que le chanoine n'aimait pas du tout.

— La passion de Dieu quand il est simple de s'en remettre à sa toute-puissance! Mais, cet abbé Théoret, nous l'avons accepté; essayons au moins d'en tirer le meilleur parti. Il est en train de rendre fous les Sauvages et les Paspéïas. Les paroissiens de Cloridorme lui donneront peut-être de leur bon sens.

Quand les nouvelles du dimanche des Rameaux arrivèrent à l'évêché, Mgr Ross manda son chanoine: «Il ne semble pas que Cloridorme ait tempéré votre protégé, Philias. Cette fois, il ne s'agit plus d'un fanfaron; c'est une femme qui brandit l'étendard de la rébellion, et une sage-femme. Allez-y voir: je ne tiens pas à me retrouver avec un schisme de paroisse.» Le chanoine en saisit aussitôt le danger, sachant que ce sont les femmes qui constituent le fonds du pays. Il se jeta dans le grand berlot de l'évêque et se fit conduire à l'hôtel du petit Cloridorme, non au presbytère. La veuve Bernachez l'accueillit avec des petits yeux malicieux et de grands égards. Elle lui prépara une soupe à la tête de morue qu'il trouva excellente:

— Cette soupe valait bien le dérangement.

— Ne me dites pas, Monsieur le Chanoine, que vous êtes venu de Gaspé pour vous régaler d'une tête de morue!

— Chère Madame, répondit-il, si j'avais voulu jeûner, je serais arrêté au presbytère. Votre nouveau curé, maigre comme il est, ne doit pas avoir la table de son prédécesseur.

— Ça ne l'empêche pas d'être un grand marcheur, dit l'hôtelière avec ses petits yeux malicieux.

— Il était peut-être fameux chez les Sauvages et les Paspéïas. Ici comment fait-il? Je suppose qu'il en bouscule quelques-uns.

— Ah oui! fit-elle, cette fois avec une certaine indignation.

Le chanoine Mainville n'eut pas trop de mal à se faire conter l'histoire de Madame Marie, du violon et de l'armoire à balais.

— Dieu est tout-puissant, dit-il, cela ne devrait pas nous empêcher d'apprécier un violon de Monsieur Didier Lebreux à sa juste valeur: il fallait en effet que le jeune Eudore s'exerce pour en être digne. C'était impossible chez ses parents; il a été chanceux d'être le neveu de Madame Marie.

— Elle, elle a été un peu moins chanceuse d'être sa tante.

— Oui, on a appris ça à Gaspé. Je lui apporte une dispense: elle pourra dorénavant se confesser dans la sacristie, plus à son aise que dans une armoire à balais. Elle ne risquera plus de se faire fermer le guichet au nez. Je suppose que l'abbé Théoret a cru qu'elle donnait le bal chez elle, durant le Carême. C'est un fameux marcheur en effet, Madame Bernachez, mais un peu trop prompt quand il fait fausse route. Il nous faudrait peut-être le renvoyer dans les bois.

L'hôtelière partageait cette opinion; elle se garda de n'en rien dire.

— Que penseriez-vous d'un retour du curé Langis? Il me semble qu'il a expié son erreur d'avoir fait sonner le glas de la Quasimodo pour ce pauvre Gaudias Côté, l'esprit tout égaré d'avoir lu la Bible, un peu fanfaron avec ça. C'était lui faire un trop grand honneur. Le pauvre curé Langis, quand il a compris sa faute, est allé se jeter dans une pauvre petite paroisse de la Baie-des-Chaleurs. Il serait l'homme le plus heureux du monde de se retrouver dans sa bonne vieille cure de Cloridorme.

— Je crois bien, dit l'hôtelière, que tout le monde ici sera heureux de son retour.

Le chanoine Philias Mainville se mit à rire.

— Savez-vous, Madame Bernachez, que Sa Grandeur Mgr Ross m'a envoyé ici pour une affaire de rien du tout. Sans la tête de morue, j'aurais l'impression d'avoir perdu mon temps.

Le lendemain matin, il repartit pour Gaspé, ramenant avec lui le curé Onil Théoret à qui il fit comprendre sans peine, qu'avec sa fougue et son zèle, il serait plus à son aise dans une p'tite paroisse de misère de l'arrière-pays de la Baie-des-Chaleurs. Le curé Langis revint à Cloridorme pour la sainte fête de Pâques. Le beau Samuel n'eut pas à échanger sa chère Marie contre la p'tite Boule de Gaudias

Côté. Quant à celui-ci, il continua de dire quelque temps qu'il avait décroché le bon Dieu du ciel. Il avait seulement besoin d'être un important, plus important que les importants qui, eux, croient en Dieu. Par de menus services et de petits cadeaux, le curé Langis réussit à gagner sa confiance. À la fin de sa vie, la prunelle des yeux laiteuse, n'y voyant goutte, il consentit à se convertir pour l'amour de la p'tite Boule et de ses deux filles, par amitié aussi pour le curé: «Cela m'est complètement indifférent», dit-il par un restant de bravoure. Et combien plus indifférent pour Dieu, en suspens au-dessus du monde et de la Gaspésie! Ce n'est pas lui, en tout cas, qui m'a demandé de faire ce conte sur le glas de la Quasimodo. Il en a inspiré tant d'autres, qu'avec lui tout est superflu et déborde de son infinie grandeur. À la fin de chaque été, durant l'automne et quelques fois l'hiver, Eudore, le neveu de Madame Marie, devenu le maître du beau violon que lui avait fabriqué Monsieur Didier Lebreux, le luthier de Petite-Vallée, faisait danser les marionnettes dans le ciel boréal, à la mémoire de sa tante, du beau Samuel, du vieil Euchariste Francœur, de Gaudias Côté et de tous les grands héros de son enfance. Et quand il était saoul, il lui arrivait de pleurer comme si la danse des marionnettes était, elle aussi, une chose ancienne et passée.

Pollon

Les Mailhot, que je sache, sont de la Mauricie. La meilleure poétesse des Ursulines de Trois-Rivières, originaire de Gentilly, était née Mailhot. Dans le cimetière de Point-du-Lac, les tombes des Dugré et des Duplessis font assez minables en comparaison avec la haute pierre de granit rouge dressée à la mémoire de l'honorable Mailhot, «sénateur de la puissance». Drummondville était au siècle dernier une colonie des vieilles paroisses riveraines du fleuve. Il est assez naturel d'y trouver Robert Mailhot, nanti d'un curieux surnom qui ne semble pas indiquer qu'il ait hérité du génie un peu prolixe de la poétesse des Ursulines. Il rend compte d'un certain laconisme. Robert Mailhot dit peu, mais ne parle pas pour rien. Avec lui, ce n'est «pas long», c'est même trop court: on comprend ce qu'il a voulu dire, il est souvent trop tard. La veille, Pollon avait annoncé à un ami: «Moi, j'ai fini de travailler.» Cet ami n'avait pas cherché à comprendre; il y a tellement de façons de ne plus travailler; il ne pensa même pas à celle, vraiment définitive, que Pollon avait en tête.

Le lendemain, un peu après midi, on aperçut des flammes vives dans le cimetière Saint-Georges. On accourut: un type brûlait sur une tombe. On alla chercher au plus vite des couvertures pour étouffer le feu. On alerta les pompiers, les ambulanciers, ces Messieurs de la police, tant de la municipale que de la provinciale. On fit ce qu'on devait faire. Le feu étouffé, on ne savait pas encore de qui il s'agissait. Tout ce qu'on voulait, c'était de l'envoyer au plus vite à l'hôpital dans l'espoir de le sauver. Mais le feu éteint, le malheureux restait fumant et par endroits bouillant: impossible de le glisser sur une civière. Les pompiers furent dans l'obligation de l'arroser. Puis les ambulanciers ont foncé, toute sirène, vers l'hôpital. Le médecin, après avoir haussé les épaules, constata le décès tout simplement.

Pollon avait eu le laconisme conséquent. Sur la tombe de son amie Dominique, on trouva un bidon de cinq gallons, vide. Cinq gallons d'essence qui vous transforment en torche vivante, c'était vraiment trop pour en réchapper. Personne, après coup, ne put douter de l'excellence de ses paroles: qu'il avait bien fini de travailler. Sur la tombe de Dominique, on trouva de plus un sac de l'armée et, dans ce sac, la poupée de Dominique.

Les mœurs ont bien changé dans les petites villes de province. Dominique et Pollon, sans le secours du sacrement, avaient vécu ensemble, tout simplement, pendant trois ans. Deux amants, deux grands amis, cela arrive. Personne n'avait cherché à leur nuire. Leur liaison attirait quand même l'attention. Les dieux anciens, qui avaient régné auparavant avec le consentement général, imposant leurs rites, leurs églises, leurs curés, en furent surpris: étaient-ils encore indispensables? Ce couple rare devait les déconcerter, les intimider. Peut-être doutèrent-ils un peu d'eux-mêmes? Ont-ils été contents de l'accident quand la petite auto de Pollon était sortie du chemin Hemming? Dominique avait été vilainement blessée, au point d'en mourir un mois plus tard. Rien n'en parut. Pollon ne fut pas écarté du service religieux. Avant qu'on ne fermât le cercueil, on le vit y glisser une lettre. Les vieux dieux n'ont jamais été méchants et vengeurs. Ils étaient à notre ressemblance. Nous nous sommes toujours aidés mutuellement, dans la mesure du possible. Ils présidaient, à la fois distants et complices, à l'épanouissement communautaire. Un peu trop papistes, c'est tout. Mais l'ombre du Vatican restait légère à Drummondville. Chose certaine, ils furent assez sages pour ne pas chanter victoire à la mort de Dominique, parce que neuf mois plus tard...

Oui, en effet, ce sera neuf mois plus tard, le temps d'une grossesse, qu'une flamme claire jaillira dans le cimetière Saint-Georges et qu'on y trouvera dans un sac de l'armée une poupée, celle que Dominique avait apportée avec elle chez Pollon quand elle s'était décidée à venir vivre chez lui. Une poupée qu'il avait gardée, une mariote dont la valeur sentimentale ne fait pas de doute, mais qui avait peut-être de plus un sens sacré que les dieux anciens ne demanderaient pas mieux que de nous expliquer, eux qui permettent à l'amour de communiquer avec l'amour, entre la vie et la mort.

C'est en tout cas la plus belle histoire que j'aie depuis longtemps entendue, l'histoire de Pollon et Dominique, les amants de Drummondville. Elle me réchauffe le cœur et me ravit l'âme. Elle ravirait de même l'honorable Mailhot, «sénateur de la puissance», et la poétesse des Ursulines de Trois-Rivières. Le pays incertain s'enfonçait dans la nuit. Ces belles amours le rappellent au grand jour; il tient une mariote dans ses bras.

La dame de Bologne

Vous étiez seule dans votre maison, à Bologne, près de la place publique, au cœur de la ville, et la porte qui donne sur la rue était restée ouverte. Vous n'attendiez personne, surtout pas celui qui viendra, hagard, épouvanté, une épée ensanglantée à la main. Cette porte, c'est votre fils, pressé de rejoindre ses compagnons qui l'aura oubliée comme d'habitude. Quand il reviendra, il la fermera, c'est tout. Dieu merci! son pauvre père n'est plus ici pour s'en faire des soucis et le vexer de ses reproches. Lui aussi, il était pressé: que son âme repose en paix. Vous êtes jeune encore, bien nantie, à l'abri des humiliations de la vie, d'un nom qui vous rend la fierté naturelle, et vous éprouvez la singulière allégresse, après père et mari, de n'être plus sous la tutelle d'un homme. Le noir vous va trop bien pour que vous le quittiez jamais. D'ailleurs, vous vous devez à votre fils, cet enfant charmant qui a grandi, maintenant turbulent, toujours dans la rue à jouer avec les garçons de son âge, le plus vaillant et le plus hardi de tous.

Vous étiez donc seule dans votre maison à Bologne, il y a de ça fort longtemps. L'air d'Italie, fût-il limpide, ne l'était pas au point d'être vide: Dieu, toujours présent, s'y tenait à l'écoute. La solitude, éloignant les bruits du monde, vous rapprochait de Lui et vous pouviez Lui parler sans dire un mot, par effusion de cœur ou saillie de l'esprit: Il ne vous entendait que mieux et vous rendait attentive à vous-même, à ce que vous aviez de plus subtil, de plus personnel. Sans secret pour Lui, vous ne pouviez rien vous cacher, encore moins vous tromper. Il était votre propre conscience. Loin de vouloir vous remettre en tutelle comme père ou mari — ou comme fils trop aimé, sait-on jamais? — il ne vous obligeait qu'à vous-même, il vous soumettait à cette conscience afin que vous jugiez de tout et décidiez de tout de votre propre chef, en dernière instance.

Ce fut alors que l'homme à l'épée, entré par la première porte qu'il avait trouvée ouverte dans la rue, s'est produit devant vous; il était aux abois et vous a demandé protection au nom de la miséricorde de Dieu. Il venait d'être mêlé à un crime, il en était peut-être l'auteur. Mais eût-il eu déjà la corde au cou, cela n'aurait rien changé à vos dispositions; vous l'avez mis en sûreté dans l'arrière-fond d'un placard. Ensuite, le temps d'essuyer de votre mouchoir quelques gouttes de sang, les agents du guet sont arrivés, tout excités; ils criaient: «Où est-il? L'avez-vous vu? C'est un fou, un frénétique, un assassin! Il tenait à la main une épée ensanglantée.» Votre accueil réservé les a déconcertés. Vous avez répondu, le mouchoir serré dans le creux de votre main, que personne n'était entré à votre connaissance. «À votre insu?» Vous en doutiez, mais cela se pouvait. Ils fouillèrent dans la maison en vain. C'est après leur départ que vous avez tout appris: un énergumène s'était jeté entre les garçons qui jouaient sur la place publique; il prétendait les en empêcher parce qu'il en avait décidé ainsi, lui, le réformateur du monde. Les garçons s'arrêtèrent, interdits, mais l'un d'eux se ressaisit vite; il courut vers l'énergumène, en lui criant d'aller réformer le monde ailleurs. L'énergumène avait eu un accès de fureur; tirant l'épée, il en transperça le garçon, quitte à n'en pas croire ses yeux ensuite, quand il le vit à ses pieds, mort; consterné, saisi d'effroi, il s'enfuit, pourchassé par le guet. Bref, le mouchoir ensanglanté que vous gardiez dans votre main, l'était du sang de votre fils.

Vous vous êtes évanouie, on s'est empressé autour de vous et l'on pensait que vous n'en reviendriez pas. Vous en êtes revenue, vous avez pardonné à l'insensé, décidant même d'agir envers lui comme vous auriez fait envers votre fils s'il avait été le meurtrier. Le misérable n'avait pas bougé de son trou. La nuit venue, vous êtes allée l'en tirer et lui avez remis une bourse. Dans la cour, un cheval était sellé. «Ce cheval, prends-le et sauve-toi de la police.» Ce qu'il fit sans même vous remercier. Le bruit du galop s'éteignit. Vous vous êtes retirée dans votre chambre. Là, à genoux devant une image de Notre-Seigneur, enfin vous alliez pouvoir prier pour votre fils, pour ce garçon tumultueux, empêché de devenir un homme, et qui vous aurait alors, certes, vous n'en doutiez plus, remise en tutelle mieux que père et mari, mais vous n'avez pas eu à le faire: la chambre s'est illuminée, votre fils, le visage radieux, brillant comme le soleil, vous a dit: «Bonne nouvelle, chère mère! Ne pleurez plus: je sors du purgatoire où la justice divine m'avait condamné à de longues années de tourment. Votre générosité chrétienne envers mon assassin a mis fin à mon expiation en un instant et je suis auprès de Dieu pour toute l'éternité.»

Cette dame de Bologne sut faire le bonheur de son fils, non sans accrocs à la légalité, entrave au cours de la justice, complicité après le fait dans une affaire d'assassinat. Elle était au-dessus de tout ça et, ne passant pas par l'homme, elle tenait sa conscience de Dieu.

L'ange de la Miséricorde

Un ange se tenait sur le toit de la Miséricorde, à Québec, maussade, renfrogné dans son plumage gris, que tout le monde voyait sans que personne n'en ait jamais parlé. Il n'avait rien d'un phénomène, en conformité avec les mœurs de l'époque et nous laissait indifférents. Personne non plus, que je sache, n'a jamais parlé du voile blanc, islamique, derrière lequel se cachait le visage des fillettes dont nous allions tripoter le gros ventre, ni de la robe noire qu'elles portaient après leurs relevailles, en deuil de leur maternité, lorsqu'elles suivaient la retraite d'expiation que leur prêchait l'abbé Victorin Germain. Cet ange gris, aujourd'hui incroyable, n'avait rien de moins ordinaire que ce voile et ce deuil. Là, sur le toit, il montait la garde contre ses semblables, restés sauvageons et ingénus, qu'attiraient les naissances à la Miséricorde, tout comme ailleurs, qui s'amenaient par bandes, joufflus et rieurs, en criant: «Noël! Noël!» L'ange gris se dressait alors, tel un épouvantail, battait l'air de ses grands plumeaux et leur semblait si effrayant qu'il les faisait fuir, eux et leur joie intempestive. Après quoi, il reprenait sa posture renfrognée et maussade en attendant les prochains, assez content de son rôle et du rang, plutôt bas, où ce rôle le gardait dans les degrés célestes.

Les anges, à cause de l'envergure de leurs ailes et de

leur taille, supérieure à celle des oiseaux, sont des créatures de plein air et de grands espaces. Ils fréquentaient volontiers l'homme quand celui-ci, vivant de chasse et de cueillette, était nomade, et même par après, quand, sédentaire, il restait mal abrité; il leur était aisé de le joindre et de converser avec lui. Cette ère est révolue. Les maisons étanches, isolées de l'extérieur par des fenêtres à double vitrage, leur climat artificiel, égal et confortable, favorisent la claustration et cette sorte d'hypocondrie qu'on appelle la vie intérieure, mais nullement le commerce rustique avec les anges. Par contre, la gent souterraine, souris, rats et démons, n'y trouve pas cet empêchement et continue d'être aussi active, sinon plus, que dans les temps anciens. Mais ceci est une autre affaire, sans rapport évident avec mon sujet, cet ange qui se tenait naguère sur le toit de la Miséricorde et qui a fini par en descendre.

Il était domestiqué, on l'aura deviné: aurait-il pu faire partie de cette institution autrement? Et il subissait tous les inconvénients de la domestication chez les volatiles, dont le moindre n'est pas de leur rogner les ailes. Il ne pouvait pas voler. Par contre, mieux nourri, gavé même par la sœur tourière, il était devenu beaucoup plus gros que ses collègues, lesquels il avait pour tâche de chasser et qui, sans être sauvages, ce qui ne saurait se dire de ces créatures de Dieu, restaient au naturel pétulants et insaisissables. Ici, certains libertins prétendront qu'il devait être mangeable comme une dinde ou un chapon. Que ne disent pas les libertins? Tels des insensés, ils se croient tout permis. Eh bien! ils se tromperont, tout d'abord parce que les Saintes Écritures ne rapportent aucun précédent de ce genre, ensuite parce que cet ange gris et maussade était tout simplement immangeable: n'avait-il pas été domestiqué dans le but de morigéner les gourmandises de l'amour, d'endurcir les tendresses de la chair et de transformer la fillette en simple fabrique d'enfant, cet enfant en une sorte de corps étranger qui, extrait de la fabrique, était jeté dans un panier, emporté à la Crèche, parti avant même que, revenue à elle, la petite ouvrière ait pu voir le fruit de son travail, l'enfant inconnu qu'elle avait produit, une seule, une pauvre petite fois. Et qu'apercevait-elle? De purs étrangers, des épiciers-bouchers en sarrau blanc, qui causaient entre eux et parfois lui disaient des choses tout à fait niaises, quand ce n'était pas des bêtises. Sur le toit, l'ange se renfrognait un peu plus sous ses vilains plumeaux.

Or, le jour arriva enfin où l'on n'eut plus besoin de ses services pour houspiller ses joyeux compères. Fini, l'épouvantail! Alors il descendit de la Miséricorde par l'échelle de sauvetage et se mit à déambuler vers Québec par le chemin Sainte-Foy, les ailes rognées, assez honteux de lui-même, encore domestiqué mais sans emploi. Personne auparavant n'avait prétendu l'avoir aperçu. Maintenant tout le monde le dévisageait et certains, des drôles, pouffaient de rire. Mon Dieu! cela ne le remontait pas dans les sphères célestes! Il se serait peut-être découragé s'il n'avait pas entendu un quidam dire à un autre quidam: «As-tu vu le phénomène? C'est à n'en point douter un sexologue!» L'autre répondit: «Tu as raison, tabarouette: c'en est tout un, un vrai de vrai!» Et là-dessus ils se donnèrent l'un à l'autre, chacun une grande tape dans le dos, et recommencèrent; ils se seraient volontiers roulés par terre tant ils étaient ébahis et contents d'avoir rencontré le spécimen, un être assez incongru pour que tout doute leur sortît de l'esprit: «C'était un sexologue! un sexologue!» Ils ne se roulèrent pas par terre seulement parce qu'ils étaient tous deux fonctionnaires, obligés de soigner leur tenue. L'ange de la Miséricorde en prit note aussitôt et ne chercha pas davantage. Lui, le maussade, le renfrogné, depuis qu'il s'est recyclé en sexologie, il s'en donne à cœur joie; il a mis tout l'érotisme en logarithmes. Ses petits compères rieurs n'en reviennent pas; derrière la grande baie de son cabinet, ils le regardent pontifier, bouche bée. Il n'a pourtant pas changé; il s'est accompli et personne, sur terre et dans le ciel, n'oserait plus le tourner en dérision, hormis la souris.

Taxi Miron

Le fantasque ne se corrige pas, on le réprime; un bon coup de bâton sur la tête le remet à sa place parmi le commun des hommes, poli envers eux et studieux quant-à-soi. Par malheur, il n'y reste guère. Ce qu'il a regagné, sa frénésie le récupère; il en sait trop déjà, s'endiable, parle à tort et à travers, décide de tout, insupportable, plus fantasque que jamais, non sans effroi cependant, à cause du bâton au-dessus de sa tête, dont il ne mesure pas le coup et qui pourrait lui être, une de ces fois, moins salutaire que fatal. Jusqu'ici je m'en suis tiré pour le mieux. En 1949, bénin, le coup me passa de la tête aux poumons, me rappelant avec un certain charme que j'avais le sang de ma mère, pas plus malade qu'il n'en fallait, juste assez pour rompre avec une situation impossible, mettre la clef sous la porte de mon cabinet de la rue de Fleurimont, rendre la pareille à la clientèle en allant me constituer captif des Anglais, à Sainte-Agathe — puisqu'on les a, autant s'en servir.

J'y étais descendu du train par une journée de mars confuse et stagnante, comme absente d'elle-même, que les nuages bas, délavés par la neige, rendaient blafarde; je ne connaissais pas l'endroit: je me retrouvai seul sur le quai de la gare, les valises à la main, les bras longs, le dos courbé, rendu mais tout perdu, et le train déjà se mettait en frais de repartir quand soudain, sortant du brouillard, un taxi advint de justesse et sauva mon arrivée. C'était un vieux taxi nommé Miron. Il nous prit, moi et mes valises. «Ah, Monsieur, dit-il, quelle journée! Une journée fantôme où le train roule pour les trépassés. Qu'avez-vous dans vos valises? Les os de vos aïeux? Ils vous ont demandé, je suppose, de les emmener en villégiature et comme le temps s'y prêtait, vous n'avez pas osé leur refuser en bon Canadien que vous êtes.» Quand je lui eus appris où je me rendais: «Euh! fit-il, ne craignez-vous pas alors que ce soit les vôtres?» Il parlait à tue-tête et zigzaguait d'un trottoir à l'autre dans les côtes qu'une mince couche de neige, tombée durant la nuit, avait rendues glissantes. Il me grimpa sur les collines, «presquement le mont Ararat», dira-t-il, par allusion au King Edward Laurentian Hospital, le lieu de ma détention, comme s'il s'agissait de l'arche de Noé flottant au-dessus de Sainte-Agathe dans les nuages. Et sa voix se fit inquiète.

— Monsieur, pauvre Monsieur, on entre ici pressé par le déluge, mais dès qu'on s'y trouve, on ne l'est plus pour sortir. Prenez garde: il arrive qu'on y reste longtemps échoué. Vous perdriez le meilleur de votre âge.

Taxi Miron m'appelait Monsieur. Il aurait pu être mon père. Comment lui expliquer que je n'étais pas un tuberculeux sincère mais un fantasque encore sous l'effet d'un coup de bâton? Je lui fis un petit signe de la main: qu'il ne s'en fasse pas pour moi. Il hocha de la tête: j'étais un brave garçon, c'est tout. Il fallut lui glisser à l'oreille que je ne parlais pas anglais et n'avais aucune envie de l'apprendre. «Ah bon! fit-il, Ah bon!» Il était rassuré, frétillant même. Il se mit à me dire qu'il avait un fils.

— Oui, Monsieur, tout un fils! Il parle, il parle! Je vous l'avouerai: j'ai déjà pensé qu'il se prenait pour moi. En tout cas, il aurait fait un fameux bon taxi. Mais il visait plus haut, beaucoup plus haut... Que pensez-vous, Monsieur, qu'il est devenu?

Un encanteur, peut-être? Les encanteurs publics sont d'excellents poètes descriptifs. Ils scandent tellement vite qu'ils en pètent le feu sur les petits désastres. Ils ne célèbrent le linge, les outils, les meubles, les vieilles choses domestiques qu'après décès ou banqueroute. Valent-ils mieux qu'un bon vieux taxi secourable? Non, cette idée d'un encanteur ne tenait guère dans les hauteurs. Elle me passa par la tête, je me gardai de l'émettre et ne savais trop quoi lui répondre. Il en avait fini avec ses zigzags et roulait maintenant avec lenteur dans l'avenue du sanatorium, presque sans bruit à cause de la neige fraîche. Les nuages se dissipaient. Il faisait doux. Il me parla de Dieu. «Oui, Monsieur, mon garçon, il visait haut.» Et je le crus mort.

— Mais non! Mais non! Froqué de noir, il s'est mis avec les corneilles. Tout un oiseau, Monsieur! Là, qu'en pensez-vous?

Ce que j'en pensais? Qu'il s'agissait du meilleur arrangement possible entre un père et son fils.

— Il a bien fait de vous laisser votre vieille réguine et de prendre à sa place le bon Dieu. S'il vous l'avait prise, fringuant comme je l'imagine, il vous l'aurait cassée. Et que seriez-vous devenu, vous, son pauvre père?

— Je me le demande, en effet.

— Le bon Dieu, quel grand véhicule! sans nuire le moindrement, il en mènera plus large que vous. Il pourra parler de tout, noir, fâché, comme un oiseau de vérité. Il parlera tant et si bien que vous finirez par entendre parler de lui, nullement mécontent de sa renommée.

— Pas surpris, non plus, me répondit le taxi Miron.

Il en était déjà si fier qu'il ne trouva plus à me dire. Nous étions d'ailleurs arrivés. Je descendis, il repartit. Je le revois qui s'éloigne sans bruit, comme pensivement, et rentre dans le brouillard d'où il était sorti par cette journée de mars. Quel drôle d'homme! Et moi, quel chanceux de l'avoir trouvé à la gare de Sainte-Agathe, quand j'étais tout perdu et piteux avec mes deux valises, pressé d'être enfermé, captif des Anglais! Maintenant je me dis que le déluge achève et que bientôt, très bientôt, le cri de la corneille en annoncera la fin et ma délivrance.

Monsieur! Ah Monsieur!

I

Il y avait, au coin nord-ouest d'Amherst et de Dorchester, peu avant que cette rue ancienne, étroite comme Lagauchetière, ne soit élargie en boulevard, une petite boîte de quartier, le Baccardi. Les frères Thomas, bessons quinquagénaires et chanteurs de charme, en étaient les vedettes. Le pianiste, qui avait déjà joué Mozart et rêvé de gloire, y festonnait la rengaine populaire, la main solennelle, l'air de ces dames qui ont connu mieux (ou se l'imaginent), justement celui de vieilles poules, nombreuses et assidues dans cette boîte, aujourd'hui disparue. C'est là que j'ai connu Cadieu. Je revenais d'une visite, tard dans la nuit, après l'heure de fermeture. Toutes les tables n'en étaient pas moins occupées. On y attendait sans doute la messe de cinq heures. Le boulé me plaça près d'un quidam sans façon ni cérémonie, selon l'étiquette du Baccardi. Le type me dit:

— Vous savez, moi, Monsieur, je ne brosse jamais avec des mauvaises intentions. Je suis ici depuis l'ouverture et je vous attendais. Merci, Monsieur, merci d'être venu.

Je le regardai, mais sans surprise. C'était un petit homme dans la trentaine, assez soigné de sa personne. Je ne le connaissais pas. Il me récitait probablement un couplet que bien d'autres avant moi avaient dû entendre.

— La nuit a été longue, reprit-il, très longue. Après toutes les bouteilles que j'ai bues, loin d'être baveux, je ne me sens même pas saoul... Mais je peux me tromper, Monsieur.

— Non, non, Monsieur, fis-je.

— Je brosse quand même, Monsieur. Oui, à chaque nuit que Dieu ramène, de l'ouverture au petit matin. Je n'ai pas d'autres moyens de me laver le dedans des saletés du dehors. Ah! triste lumière, sombre esclavage! Le travail abrutit l'homme, Monsieur, et le rend semblable à la bête. Je tâche de l'oublier. De plus, j'ai une autre raison pour brosser, celle-là autrement plus sérieuse. Quelqu'un m'a déjà dit qu'elle était rhétorique, oui, Monsieur, pensez donc, rhétorique!

— En effet, Monsieur, c'est là une grande raison... Mais que voulez-vous dire au juste?

— Que je brosse pour parler. Encore me faut-il un interlocuteur. Et vous êtes le premier, Monsieur, qui se présente. Je vous attends depuis si longtemps. Vous venez tard, mais enfin vous voici, là devant moi, merci, merci! Je vais vous raconter mon histoire. Ce sera pour vous, Monsieur, rien que pour vous, parce que moi, je ne la sais que trop: c'est toujours la même. Chaque soir, je n'ai pas pris deux verres, qu'elle me revient. Seul, je ne suis qu'un radoteur. Monsieur, vous ne serez pas déçu: je suis le plus malheureux des hommes.

Là-dessus, il lève une main sans pouce: quatre grosses qu'il me laissera payer, bien entendu. C'est un honneur qu'il me fait. Puis, le pouce lui revient, il reprend:

— Plus malheureux qu'un orphelin. Et pourtant, Monsieur, j'ai encore père et mère. Ah les pauvres! Quand le bonhomme s'attelait à signer son nom, il suait à grosses gouttes. Et la mère toujours debout à nous servir. À présent, rien ne l'empêche de s'asseoir à table, mais elle ne peut pas, à cause de l'habitude: elle continue à grignoter debout à même les restes, dans nos assiettes. Une bonne mère, et le bonhomme, un bon père aussi. Autrement ils ne nous auraient pas tous réchappés. Vingt-deux enfants, c'était trop pour eux qui savaient à peine compter. Faites le calcul vous-même, Monsieur: l'amour, ça se divise aussi vrai que ça ne s'apprend pas. Du leur, ainsi divisé par vingt-deux, il ne nous restait pas grand-chose. Et puis, la maison était petite, de plus en plus petite...

— Permettez-moi de vous interrompre, Monsieur: je voudrais placer ici l'observation d'un de mes amis, un ami qui sue comme votre père quand il tient la plume; pourtant, il est de la Société royale. Il se nomme Pierre Baillargeon.

— Pierre Baillargeon? Hélas! je n'ai pas l'honneur de le connaître.

— Comment le connaîtriez-vous? Il ignore l'existence du Baccardi... Un jour, il m'a dit: «Jamais les nôtres ne pourront concevoir qu'ils sont minoritaires, issus de familles nombreuses.»

— Majoritaires, minoritaires, voilà des mots dont je me souviendrai, dites-le à Monsieur Pierre Baillargeon. Oui, bien entendu, nous étions très majoritaires à la maison, tous pris ensemble, au point que moi, j'ai vite senti que j'y étais de trop. Et quand je suis parti, ce ne fut pas pour devenir minoritaire, mais solitaire, Monsieur. Jamais, après avoir bourlingué pendant une dizaine d'années, je n'aurais dû revenir à la maison, jamais!

— Parce que vous y êtes revenu?

— Oui, Monsieur, quel malheur! J'étais sur mon trente-six, mieux qu'un étranger. Et c'est en étranger que je me suis présenté, sous un autre nom. La pauvre mère m'a regardé avec une vague doutance. Elle a pensé à moi, je l'ai vu dans ses yeux. Mais un nom, c'est plus sérieux que le sang. Je ne le savais pas, je l'ai appris. On a pensé que je venais voir les filles: trois ou quatre de mes sœurs restaient à marier. Je me suis assis à côté d'Ange-Aimée, la plus belle, brave et pas bête. Lors de mon départ, elle n'avait pas encore six ans. Comment se serait-elle douté que c'était moi? Elle a quand même senti qu'il y avait quelque chose de commun entre nous. La tête contre mon épaule, elle était si lutine qu'il a bien fallu que je la pelote un peu. Le père était monté se coucher. Par la porte, je voyais la mère qui se berçait dans la cuisine en égrenant son chapelet... Et puis Ange-Aimée s'est glissée sur mes genoux... J'aurais dû me faire reconnaître, Monsieur. Mais voyez-vous, j'avais espéré être reconnu. Après la veillée, non seulement j'avais perdu mon espoir, mais encore toute possibilité de me faire reconnaître. Croyez-vous maintenant que je suis plus malheureux qu'un orphelin, moi, Monsieur, le cinquième d'une famille de vingt-deux enfants?

Je n'en avais pas le moindre doute. Seulement l'heure passait. J'aurais voulu qu'il me laissât partir.

— Je vous enverrai, demain, mon ami Pierre Baillargeon.

Cadieu ne sembla pas m'avoir entendu. Il continua, comme si je n'avais rien dit:

— Encore, si je n'étais pas reparti avec la petite Ange-Aimée et le bonhomme!

— Parce que...

— Oui, Monsieur. Chaque fois que je me trouve une femme, chaque fois Ange-Aimée s'interpose. Et ce n'est pas tout: le père, encadré par mes quatre frères aînés qui m'injurient, ne cesse pas de m'examiner, surpris que je sois son fils. Ah Monsieur! cela ne m'échauffe pas les sangs. La femme ricane, prend ses affaires et s'en va. De quoi ai-je l'air? D'un bon à rien. Et qu'est-ce que je suis d'autre qu'un bon à rien, je vous le demande, Monsieur. Je ne peux même pas compter sur le secours de ma mère: elle n'a pas plus de temps pour s'occuper de ces choses-là que pour s'asseoir et manger. Alors, quoi! je reste seul et malheureux. J'attends. Je vous attendais, ce soir. Vous êtes venu, grand merci. Demain, j'attendrai votre ami du Collège royal. Qu'il n'arrive pas trop tard, promettez-le-moi.

Je le promis et me levai pour m'en aller. Cadieu se leva, lui de même, mais alors que je me faufilais entre les tables vers la sortie, il ne bougeait pas de place et ne cessait de répéter: «Ah Monsieur! Adieu, Monsieur!»

II

Pierre Baillargeon avait la barbe forte et portait un feutre gris qui semblait faire partie de ses téguments. S'il ne s'était pas rasé, en peu de jours il aurait eu le visage encore plus masqué que sa calvitie. Ce chapeau, il daignait l'enlever à la maison, à *la Patrie*, à l'Hôtel d'Italie, en présence de ses collègues et amis. Il n'aurait pas pu en faire autant de sa terrible barbe. C'était un homme très sensible, presque enfantin, qui mettait au-dessus de tout le magister des lettres qu'il exerçait de droit divin. Il n'aimait guère les grands principes, les drapeaux, les chevaux, les bateaux. Hors la langue, la façon de dire et d'écrire, rien ne comptait. Il restait catholique par indifférence: que lui importait le latin? Le français est une langue profane autrement plus simple et élégante que l'anglais fourchu, à la fois pratique et liturgique. Quant au communisme dont je m'étais entiché pour me guérir les poumons, il n'en disait rien, ni pour, ni contre cette thérapeutique. Criaillerie, volée d'étourneaux. Citadin, les oiseaux l'ennuyaient. Seulement, un peu craintif, par précaution contre les coups de vent qui, sait-on jamais, pourraient le décoiffer, il les laissait passer. Au demeurant homme d'entretien, petit bourgeois d'Outremont qui tenait boutique d'esprit. Émettait-il une idée, c'était de biais, moins pour l'idée que pour la formule, toujours nette et concise. Il déplorait la Confédération dont les cow-boys et les pasteurs baptistes avaient profité pour nous infester d'idéologies.

— Nous aurions mieux fait de rester sous l'Union, seuls avec les Britanniques.

À son retour d'Europe, avant que le CN ne lui donnât de l'emploi, il passa par une phase de désarroi. Le seuil de la misère était pour lui très élevé. Un jour, il me manda et j'accourus aussitôt. Je lui ai toujours marqué du respect. Il disposait de moi, il le savait. Seulement, ce respect était trop grand pour que je condescendisse à ses ennuis d'argent. Il a d'ailleurs toujours été mieux logé que moi. Il n'empêche que, médecin, je devais avoir de l'argent de reste. Par bonheur, il était trop délicat pour m'en demander franchement. Il aurait voulu que je prisse l'initiative de lui en offrir.

Cette fois nous allons dîner dans un restaurant de la rue Labelle où, pendant des années, Victor Barbeau a plastronné. Je venais de rencontrer le vieux Paul Morin, sourd et délirant, qui, tel un roi Lear, avait éclaté en imprécations contre Pierre. Je demandai à celui-ci ce qu'il pensait de Paul Morin.

— Avec sa morgue, son faste, me dit-il, il en a imposé aux Britanniques qui, tout avantagés qu'ils soient ici, restent très timides à cause de l'affreuse pauvreté qui a toujours régné dans leurs îles surpeuplées. Sans la soupape des colonies, la marmite aurait éclaté et c'est toute crue que la reine Victoria aurait été dévorée dans Hyde Park. Ça, ils ne l'oublient pas. Nous, nous l'ignorons. Paul Morin a pu réformer la traduction, c'est ça qu'il a fait de mieux.

Après le repas, il me reconduisit jusqu'à mon auto que j'avais laissée dans le parking du magasin Dupuis. Il faut donc que nous traversions la rue Sainte-Catherine. Sur le trottoir sud, je lui demande: «Et tes affaires, Pierre?» Là-dessus, je franchis la chaussée. Il a neigé un peu. La rue en est toute baveuse. J'atteins le trottoir nord. Des autos freinent, klaxonnent. Je me retourne et qu'aperçois-je? Pierre, au milieu de la chaussée qui se penche et ramasse quelque chose dans la slotche. Tout heureux de l'avoir trouvée, il me rejoint sur le trottoir, la tenant précieusement: c'est une pièce de monnaie, un p'tit dix cents. Pendant qu'un chauffeur de taxi, les yeux exorbités, lui chante pouilles parce qu'il a failli l'écraser, Pierre me dit: «Voilà toute ma fortune.»

À quelques mois de là, il me mande de nouveau, cette fois dans un logis cossu, rue Decelles. Une ombre furtive, celle d'une de ses filles qui, sans attendre d'être présentée, se retire dans sa chambre. Une vingtaine d'années auparavant, monté de Gaspésie exprès pour le voir, une autre jeune femme, Jacqueline Mabit, son épouse, s'était éclipsée de la même façon. Celle-ci était blonde, fort belle, m'avait-il semblé. La fille est brune. Je la vis moins bien. Je n'ai jamais cherché à percer la vie amoureuse de Pierre. Tout ce que je notai, c'est qu'à vingt ans d'intervalle, le cérémonial n'avait pas changé.

Cette autre fois, il m'a mandé pour me montrer le manuscrit d'un de ses ancêtres, François Mercier, que les Américains, après avoir acheté l'Alaska en 1867, nommèrent chef de la traite, pour ainsi dire gouverneur, étant donné qu'il ne s'y faisait alors que de la traite. Le manuscrit était fort bien calligraphié, probablement de la main de la fille de Mercier qui le lui aurait dicté. Il pouvait s'agir aussi d'une mise au propre, d'une retranscription. Peu importe, cela démontrait que les Américains comme les Britanniques ne purent se passer de nous aussi longtemps que dura l'Amérique amérindienne.

Pierre devait présenter cet ouvrage. Il se documentait. C'est la raison pour laquelle il est allé mourir à Saint-Paul-du-Minnesota que les fins lettrés, que je sache, n'ont pas l'habitude de choisir comme lieu de trépas. Auparavant, je l'avais présenté à Cadieu, l'orphelin du Baccardi.

III

— Vous êtes un Monsieur, vous, Monsieur, lui dit Cadieu.

— Et un grand écrivain, ajoutai-je.

— Quel honneur, Monsieur! Me permettez-vous une question, Monsieur?

— Je vous écoute, Monsieur.

— Comment expliquez-vous que lors d'une brosse, plus elle dure, de peur de donner l'impression d'un misérable, d'un franc voyou, plus je m'applique à bien parler? N'est-ce pas curieux, Monsieur?

— Non, répondit Pierre Baillargeon; grâce à la langue française, vous gardez souci de votre dignité. À votre façon, vous êtes un lettré, le représentant de la Société royale au Baccardi.

— Monsieur, ah Monsieur!

— Vous ne sauriez savoir comme je vous en suis reconnaissant.

Pierre parlait d'une voix douce et feutrée. Il avait accepté de rencontrer Cadieu et de descendre dans les enfers populaires, tel un Berthelot Brunet. C'était la première fois. Il en éprouvait une étranger fierté. Berthelot Brunet exerçait sur lui une sorte de fascination. Jusque-là, il s'était contenté de le voir sur un terrain neutre, à *la Patrie* ou à l'Hôtel d'Italie, le midi, quitte à remonter ensuite dans son ciel d'Outremont tandis que le pauvre Berthelot dégringolait sur l'autre versant. Cette fascination s'exerçait aussi sur Paul Toupin. L'un et l'autre jouaient le grand jeu, celui de l'homme de lettres à une époque où il n'était guère possible au pays. Ils trichèrent un peu et restèrent de bons bourgeois, quitte à s'intéresser à Berthelot Brunet qui, lui, conséquent, vécut une vie d'enfer, buvant du parégorique pour la supporter, pas plus honoré pour autant.

Pierre Baillargeon était donc tout surpris, ce soir-là, de se trouver à son aise sur le versant inconnu, au Baccardi, en compagnie d'un illettré qui s'appliquait à bien parler la langue française quand il était paqueté.

— Ma dignité, c'est probable, Monsieur. Je l'ai apprise d'un Français de France qui tenait académie dans une taverne de Val-d'Or. Quand il était saoul, il se faisait appeler le duc d'Orléans. On ne lui connaissait pas d'ailleurs d'autre nom. Peut-être l'avez-vous rencontré?... Non, comment se peut-il, Monsieur, vous qui êtes un Monsieur? En tout cas, il a été mon maître. Il employait la méthode du démon Stène, mais sans les cailloux. Dix grosses bières faisaient aussi bien, prétendait-il. Qu'en pensez-vous, Monsieur? Trouvez-vous que je parle correctement?

— Trop bien pour moi. Je supporte mal l'intoxication. Dix grosses? Cinq suffiraient à me donner la dysarthrie.

— La dysarthrie, ah Seigneur! Le Duc n'a pas eu le temps de tout m'apprendre. Sans être de la Société royale comme vous, Monsieur, c'était un homme instruit comme il n'y en a que dans les vieux pays. Je ne le mécontentais pas trop. Il m'avait nommé baron. Je ne m'en vante pas, Monsieur. Au contraire, je vous conseillerais de vous défier des barons, surtout quand ils viennent de Saint-Barnabé... Buvez, Monsieur. Autrement j'en serais offensé. Je vais vous raconter mon histoire.

Cadieu l'entreprit, son histoire d'orphelin, lui, le cinquième d'une famille de vingt-deux enfants, qu'on avait pris pour un veilleux quand, après dix ans d'absence, il était revenu à la maison. Entre les quatre ou cinq sœurs qu'il lui restait, il avait choisi la petite Ange-Aimée.

— Vous ne me croyez pas, Monsieur?

Pierre en était à sa troisième bouteille.

— À quoi bon? fit-il.

— Me croyez-vous ou pas?

— À quoi bon mettre en doute la parole d'un inconnu?

Cadieu continua son histoire:

— Je n'étais pas tellement heureux de n'avoir pas été reconnu par les miens. Les gentillesses de la petite Ange-Aimée, sans me déplaire, ne me consolaient pas du tout. Après la veillée, je m'arrêtai à l'hôtel du village. Mon retour, je le préparais depuis un an; j'avais le motton, de quoi virer toute une brosse. Elle ne dura pas longtemps. Ne voilà-t-il pas que l'hôtelier me refuse à boire. Je ne comprends pas: «Mon argent, elle serait pas bonne? — Ton argent, elle est bonne, mais c'est aujourd'hui Jeudi saint, il faut arrêter ça: le curé par icitte, il a la gaffe plus longue qu'en ville.» Cela me dégrisa net. Je n'en gardais pas moins un fameux mal de tête et de la tremblette au bout des doigts. Je fis venir le barbier. Il me rasa. Tremblette ou pas, j'étais montrable. Je fus chez le docteur Donat Baril à qui je me présentai comme un pauvre orphelin. C'était un fameux maquignon d'homme que ce docteur. Il se mit à rire: «Un orphelin, toi? Avec vingt et un frères et sœurs, et les yeux de ta grand-mère Bellemare! Je te salue bien, mon Cadieu.» Il me soigna bien, je n'ai rien à redire contre lui, mais le lendemain, tout Saint-Barnabé savait que j'étais de retour. Par-dessus le marché, ma p'tite sœur Ange-Aimée, pas contente, apprend à mon grand frère Maxime que j'ai pas mal abusé d'elle en me faisant passer pour un veilleux. Alors Maxime de s'amener à l'hôtel d'où je partais. Le charretier m'a enlevé les portunas des mains en haut du perron comme si j'étais un Américain. L'hôtelier lui a expliqué que la sainte religion l'a empêché de m'éplucher le motton jusqu'au trognon. Pendant que le charretier respectueux porte mes portunas dans la carriole, le grand Max, tout mineux, n'a pas besoin de m'expliquer pourquoi il est venu à l'hôtel et qu'il en monte le perron: tout simplement, Monsieur, pour me casser la gueule. Je l'ai mérité, j'en conviens quant à moi, mais en même temps je ne peux pas m'empêcher de profiter de l'avantage que me donne le perron d'être au-dessus de lui: la gueule, c'est moi qui la lui ai cassée. Quand le charretier m'a conduit au grand galop à la gare de Saint-Barnabé où le Grand Nord justement arrivait, tout noir dans la vapeur, le pauvre Max gisait par terre, au pied du perron de l'hôtel, comme mort.

— Ciel! s'écria Pierre Baillargeon, vous êtes le Baron Œdipe!

Et de tenter de lui expliquer que dans nos familles le fils affronte son aîné, non le père, et cajole sa sœur, non la mère. Il ne le put guère, ayant entamé sa cinquième bouteille. Et ce fut ainsi que Cadieu apprit que la dysarthrie, un mot nouveau qui l'inquiétait, n'avait rien de sorcier et qu'il signifiait tout bonnement parler avec difficulté, les dents toutes mêlées dans la bouche.

— Monsieur, je vous en prie, prenons-en encore une autre à la santé de l'inestimable Société royale.

Pierre Baillargeon, la barbe bleue, le crâne rose, trinqua avec Cadieu:

— Ba-on, ba-on, à la goire, à la plus gande goire du Baccadi.

— Au démon Stène, cria Cadieu.

Pierre renchérit:

— À Bètelo Bunet! À la langue fançaise!

Il calait, calait dans les enfers. Je dus aller le reconduire sur le versant du ciel, à Outremont. Il avait le chapeau renfoncé jusqu'aux yeux. Ce fut en zigzaguant qu'il traversa la rue Decelles et s'engagea dans l'allée qui montait vers son logis, en face du Collège Jean-de-Brébeuf. Cherchait-il à renchérir, à l'emporter sur Cadieu, baron du Baccardi? Il me fit penser à Œdipe-Roi, aveugle. Il n'est pas étonnant que, seul et perdu, il soit allé mourir à Saint-Paul-du-Minnesota. Quant à Cadieu, après la démolition du Baccardi, il devint un franc robineux. Il errait dans les parages de la rue Saint-Denis. Je le rencontrai une fois, il ne me reconnut pas. Je lui avais donné un p'tit trente sous.

— Ah, Monsieur! Merci, Monsieur! Que la petite Ange-Aimée, mon ange au paradis, vous le rende au centuple.

Et il continua. C'était en novembre. Il faisait froid. Je priai le dieu des enfers de le recueillir dans son sein, bien au chaud.

La chatte jaune

Cette chatte jaune, un beau matin, demanda la porte, entra et resta, sans plus de façon. Il avait fallu qu'elle arrivât pour que nous sachions que nous l'attendions. Ce n'était pas un de ces pauvres minets en quête de son premier logis comme il en traîne, chaque automne, à l'approche des froids, et qui se jette dans celui qui s'offre, mais une chatte faite, à même de choisir. Était-ce pour toujours? Devions-nous en croire nos serments tout neufs? Ils étaient justement trop neufs pour porter si loin et engager un avenir dont nous ne voyions pas la fin. Leur bravoure ne nous rassurait pas entièrement. Il nous manquait un signe. La chatte, en nous accordant sa préférence, nous l'apportait. Nous la traitâmes avec égard de peur qu'elle ne s'en allât comme elle était venue, sans façon. Quelques semaines passèrent, un mois, deux mois, elle restait, énigmatique et souveraine, tandis qu'au-dehors s'installait l'hiver. Maintenant elle ne pouvait plus guère nous quitter. Elle n'en fut pas plus mal traitée, car aux égards avaient succédé les devoirs, aussi inquiets les uns que les autres. Nous nous jugions obligés envers elle autant que nous le serons plus tard envers nos enfants. Ces enfants, les avait-elle flairés en nous et pressenti que leur race serait profitable à la sienne? Aujourd'hui je n'en doute pas, mais alors, comment savoir? En dépit de toute notre sollicitude, cette chatte jaune n'avait même pas de nom, j'entends un nom qui lui fût propre; nous l'appelions Minounne, qui n'en est pas un. Pourtant elle ressemblait beaucoup à Jaunée dont elle a été l'aïeule, mais celle-là, ce sont les enfants qui la baptiseront. Eux seuls ont le génie d'inventer des noms, et Dieu le sait, qui demanda à Adam de lui enseigner le vocabulaire pour désigner les bêtes qu'il avait créées. Au commencement était le Verbe, mais le Verbe, sans les mots et les enfants instituteurs, ne serait que du vent.

Le printemps vint, ramenant dans la maison les bruits du voisinage. La nuit, sous nos fenêtres, des matous s'affrontaient avec des cris déchirants. La chatte sortait, rentrait, que nous préparait-elle? Rien que nous lui ayons d'abord préparé. Elle tentait seulement de nous rattraper... Le 10 juillet, à l'aube, une fille naquit, face ronde, yeux pointus, qui ressemblait à une cornouille. J'avais en sa mère la plus absolue confiance; je l'assistai seul, sans la moindre inquiétude. Une fois le lit de douleur transformé en lit de repos et de joie, je dus faire la toilette du bébé. Le mois précédent, une Hollandaise, faute de sage-femme, avait requis mes services, en me disant de m'asseoir près d'elle: «Restez là et ne bougez pas.» J'avais quand même reçu l'enfant mais pour le remettre aussitôt à la belle-sœur qui, à ma grande surprise, le plongea dans une grande cuvette de porcelaine où, assis, tenu droit, l'eau jusqu'au menton, il gueula, gueula, car cette eau était froide. Ensuite, bien essuyé, au chaud dans ses langes, remis à la mère, il m'avait paru le plus heureux des enfants du monde. Est-ce la meilleure des méthodes? Faut-il escamoter le choc de la naissance ou bien le récupérer pour mieux s'en servir? La façon hollandaise m'avait plu par sa franchise: elle brusque le passage et décide à jamais l'enfant, sauvé des eaux, que la vie aérienne est la meilleure. Je l'employai avec la Cornouille; elle ne cria même pas, mais me fixa de ses yeux pointus avec une fureur comme je n'en ai jamais vu. Je ne sais même pas si elle me l'a pardonné. Chose certaine, depuis un quart de siècle, elle n'a jamais souffert du froid.

Voilà donc ce que nous avions déjà préparé. La chatte jaune nous rattrapa durant la nuit. Le lendemain, elle, sa portée et la Cornouille faisaient bon ménage dans le berceau. La douillette était quelque peu tachée de sang. La mère poussa les hauts cris, moi-même j'eus un moment d'inquiétude, pensant à un cordon mal attaché, et je fus reconnaissant à la chatte de me rassurer. J'aurais même été d'avis de ne pas la déranger. Ce que je pus obtenir de mieux, ce fut de l'installer dans une boîte en dessous du berceau. L'alliance des deux lignées ne s'en trouva pas brisée. Il arriva même que durant toute la première semaine la chatte jaune continua de confondre les progénitures, celle du haut et celle du bas: au moindre pleur de Cornouille, elle bondissait dans le berceau et se mettait à y chercher ses petits. L'autre mère s'amenait en deuxième, un peu dépitée, autant pour chasser la chatte que pour consoler sa fille, laquelle ne tarda pas à désapprendre la langue des chats qu'elle parlait à sa naissance.

Le nigog et la dernière carpe

La vie est ainsi faite que l'habitude ne l'engage en rien et que toute routine mène à sa fin. L'année du bonhomme Bigras commençait après son hivernement. Il avait tout de son compère Régis Brun, l'ours, tout moins le poil, né natif du Sault-au-Récollet où les Sauvages, jadis réunis en mission, ont fini par oublier leur origine, tout en restant imberbes, du moins certains, et le bonhomme Bigras était de ceux-là. Il commença par le pire, menant une vie de damné dans une fonderie. Dieu, qu'il eut soif! Néanmoins, l'austérité sulpicienne l'emporta sur son atavisme; il ne devint pas ivrogne et finit par disposer de quelques biens. Aux approches de la soixantaine, durant la dernière Guerre, il se porta acquéreur d'une maisonnette bardoisée, basse, facile à chauffer durant l'hiver, au fond d'un emplacement de la rue Préfontaine, juste en bas du Coteau-Rouge, dans le faubourg agreste de Longueuil. Devant sa porte, un trottoir de bois menait jusqu'à la rue, partageant le terrain: d'un côté le potager, de l'autre une vieille Ford et un chariot à deux roues sur lequel était arrimée une chaloupe verchères vert bouteille à bordure rouge. Le damné de la fonderie était sorti de ses enfers à l'appel du compère Régis Brun. Dorénavant, il s'adonna aux plaisirs de la pêche. Il passait l'hiver encabané. Ensuite son année commençait. Il sortait d'abord simplement par plaisir, pour goûter du dégel la sève dorée, attendre la débâcle des glaces et la fin de la crue. Alors, quand

les eaux étaient encore hautes et poissonneuses, au
volant de sa Ford, la chaloupe à la traîne, il partait vers sa
rivière, la rivière des Prairies, dont il connaissait les coins
et les recoins depuis le Sault jusqu'au pont Charlemagne.
Durant une dizaine d'années, il repartit ainsi et revenait
toujours content. S'il n'en avait été que de lui, cette routine
l'aurait mené loin, centenaire pour le moins; il n'en voyait
pas la fin.

Cependant, des maisons carrées, à un étage ou deux,
la façade collée sur la rue, remontaient en rang serré vers
le Coteau-Rouge, et le pavillon plat du bonhomme recu-
lait, comme s'il allait disparaître au fond de son échan-
crure. Un printemps, de curieuses rumeurs surgirent avec
le dégel; on parlait d'un égout et d'un aqueduc auxquels
tout propriétaire serait obligé de se raccorder; d'une
chaussée pavée d'asphalte entre deux chaînes de trottoir
en ciment armé. On annonça même qu'une voie maritime
serait construite entre la Rive-Sud et l'île Sainte-Hélène, à la
place du petit rapide où l'on pêchait de grosses carpes au
nigog. Le bonhomme Bigras ne prêta qu'une oreille distraite à ces rumeurs malicieuses entretenues par des aspi-
rants échevins, revendicateurs et fâchés: «Qu'ils retraver-
sent à Montréal, se disait-il, et nous laissent en paix, moi
et mes pareils, les gens libres du Coteau-Rouge.»

Ce printemps-là, la routine de son bonheur se dérégla;
il aura beau multiplier ses expéditions de pêche, il ne prendra pas grand-chose, trois brochets et dix anguilles.
Même le menu fretin, perchaudes et barbottes, était
devenu avare. La rivière gardait sa bonne odeur de vase et
de foin pourri; il s'y mêlait toutefois un curieux relent,
peut-être de térébenthine. Le bonhomme Bigras, friand de
poissonnerie, n'en mangea que du bout des dents, le menton en galoche, le gosier étroit, une roche dans l'estomac.

Aux eaux basses, ragaillardi par les nuits fraîches, il
enfourche ses bottes qui lui remontent jusqu'à la ceinture

et s'en va harponner la grosse carpe dans le petit rapide entre la Rive-Sud et l'île Sainte-Hélène. A-t-il l'œil moins vif, le bras trop lent? Il n'en rapporte aucune et revient, le nigog honteux. Maintenant la saison est finie. Le bonhomme jette une bâche sur la vieille Ford, le nez tourné vers la rue, prête à repartir avec sa chaloupe verchères. Il entre les derniers légumes, choux, navets, citrouilles, et retourne la terre du potager. Là-dessus, comme chaque année, un cousin de la campagne s'amène avec un voyage de bois bien sec, déjà fendu, érable, bouleau et merisier, que le bonhomme cordera dans le hangar en rallonge à la maison. Et le voilà paré pour un autre hivernement, un autre comme les autres, croit-il, et qui ne le sera pas.

Les avents ramenèrent le froid, mais non la neige qui le rend vif et clair. Le ciel reste bas, le temps lugubre, et, chaque nuit, qu'il pleuve ou qu'il vente, les âmes du purgatoire se lamentent; elles se plaignent d'être oubliées, retenues à la pourriture de leur corps, et supplient qu'on les en délivre. Le bonhomme Bigras a toujours eu quelque dévotion envers elles, mais c'était pour leur demander de menus services, comme de le réveiller à telle ou telle heure, services qu'elles lui rendent avec empressement, les pauvres. Il ne se fait pas plus de souci qu'il n'en faut, étant donné qu'il y aura toujours des âmes du purgatoire pour rappeler le souvenir des défunts et venir en aide aux vivants. Au début de cet hiver-là, toutefois, le bonhomme éprouva plus de compassion pour leurs tourments, probablement parce qu'il s'était rapproché d'elles, moins uni à soi-même, et parce qu'il avait commencé, sans trop s'en rendre compte, à prendre ses distances avec son propre corps. Et puis, il comprenait enfin que notre monde temporel est un mélange de vie et de mort dont le purgatoire fait partie dans un en deçà passager, sans rapport avec l'au-delà éternel de la mort sans retour, au ciel ou en enfer, où l'on ne peut rien pour les damnés ou les élus. En tout cas, il prêta plus d'attention aux âmes plaintives de la nuit, s'apitoyant et sur elles et sur soi, comme il s'inquiétait du monde interlope où il se trouvait, le leur et le sien.

Le jour, il restait maussade et renfrogné, chauffant son poêle, fumant sa pipe et se remémorant les rumeurs auxquelles il n'avait guère prêté qu'une oreille distraite. C'était au printemps, avant l'été fâcheux. Il en saisissait à présent la menace et se sentait vieux, timide et démuni. Vivrait-il jusqu'à cent ans? Il en avait perdu l'assurance. Il n'attendait pas la mort pour autant, ni personne. Or, un beau matin, on frappe à sa porte. Il ouvrit et l'homme n'entra pas, un homme bien en chair, dans la force de l'âge, avec une dent en or dans son ratelier, qui le salua de l'index en retroussant la babine pour découvrir la dent, un nommé Lorenzo que le bonhomme Bigras ne connaissait pas.

— Mais moi, je vous connais, mon cher Monsieur Bigras. Vous êtes parmi les premiers sur la liste de mes électeurs. Considérez-moi déjà comme votre échevin. Je passais vous saluer et me mettre à votre service.

Le bonhomme se sentit tout honoré, même s'il n'avait besoin des services de personne.

— Comment pouvez-vous penser ça, cher Monsieur Bigras? Cette Ford, le chariot, la chaloupe, c'est un vieux gréement dont vous n'avez plus besoin. Eh bien! je vous l'achète. Voici, je vous en donne tant et comptez-vous chanceux.

Le bonhomme Bigras prit l'argent, interdit, sans penser à remercier. Monsieur Lorenzo, le futur échevin, était un homme expéditif: vite, il détacha la bâche, la fourra sous la chaloupe et monta au volant de la vieille Ford, prêt à partir. Le bonhomme revint alors à lui; il courut chercher dans la maison ses grandes bottes d'eau et les donna à son bienfaiteur. Monsieur Lorenzo retroussa la babine et montra sa dent en or. Le moteur de la machine était déjà en marche. «Attendez, attendez», cria le bonhomme. Il retourna dans la maison. Il avait oublié le nigog. Quand il ressortit, trop tard: le type, l'échevin inattendu, était déjà parti.

La nuit suivante, plus de lamentations, un doux chuchotis. La première bordée de neige tombe, le ciel s'en trouve dégagé et le matin arrive: le bonhomme se lève dans la clarté radieuse, tout ébahi et content, enfin cabané pour l'hiver comme il l'entend. C'est alors qu'il aperçoit le nigog, planté au beau milieu de la place, qui lui rappelle son visiteur de la veille, venu pour lui rendre service, qui le lui aurait bien pris s'il avait eu le temps de l'apporter; il se serait retroussé encore la babine et puis, de l'index, salut — un homme qui avait l'air de savoir ce qu'il voulait, même de le savoir pour deux, parce que le bonhomme Bigras, lui, ne sait pas encore pourquoi il lui a vendu son bon vieux gréement.

Est-il vrai qu'il n'en aura plus besoin, se demande-t-il. Que répondre? Car enfin, qui décide? Il y a de plus en plus de gens sur terre, des gens qu'on ne connaît pas, même par ici, dans les alentours du Coteau-Rouge. Trop de gens, bonhomme, tu t'y perds. Quand d'aventure tu sors pour aller aux commissions, tu n'es plus sûr de toi, autre parmi les autres, étranger. Tu te sens moins seul chez toi que dans la rue. Alors, qu'un quidam t'arrive, que tu n'attendais pas, de la part de qui te connaît mieux que toi-même, cela t'honore et te réconforte, même si, à bien y penser, cela n'a rien de rassurant, surtout quand cet envoyé repart avec ta vieille Ford, ta chaloupe verchères et tout ce qui te restait de l'archipel de Montréal.

— Et le nigog?

Il te l'a laissé, trop malin pour l'emporter. Planté au milieu de la place, dans ta cabane, sous le doux chuchotis de la neige, une carpe en fait le tour. Tu parles, tu parles, bonhomme Bigras. Elle, elle se tait, muette comme la mort. Au bout de l'hivernement, il n'y a plus d'année.

La petite carmélite

L'autre chaise resta vide. La fillette se tenait debout contre sa mère, comme pour mieux lui marquer sa dépendance et son affection. Leurs deux têtes se trouvaient à la même hauteur, tellement différentes! L'une était blonde ou recolorée telle, le visage un peu long, sérieux, le cou maigre et tiré. L'autre, celle d'une brunette de sept ou huit ans, enjouée, nullement intimidée, peut-être un peu protectrice, si curieux que cela parût.

La mère me fit part de l'objet de la visite: depuis un mois ou deux, sa fille lui semble distraite; elle ne l'entend pas, l'obligeant à hausser la voix et à se répéter. Serait-ce un début de surdité? Elle a lieu de le craindre: à deux ans, elle a souffert d'une otite.

— Avec écoulement?

Pas qu'elle se souvienne, mais elle n'a pas oublié le terme employé alors par le médecin; elle est catégorique: il lui a dit qu'il s'agissait d'une otite. J'aurais envie de lui demander: quelle sorte de médecin? Le médecin qui vous en donne pour votre argent ou celui qui vous laisse sous l'impression que vous l'avez appelé pour pas grand-chose, un petit mal de gorge, par exemple? Elle en serait outrée.

— Est-il repassé plusieurs fois?

— Non, c'était un bon médecin qui demandait des honoraires plus élevés que ses confrères. On y était regagnant. Il allait droit au mal et prescrivait les bons remèdes.

Avec lui on savait: une otite était une otite.

Elle n'en démordra pas. En effet, à ce que je viens d'entendre, j'ai reconnu le confrère. Imbattable. Quelle sorte de médecin? Très exactement une Chrysler Impériale de l'année. Qu'on imagine l'honneur pour la maison où elle s'arrête dans la p'tite rue d'un faubourg encore à moitié champêtre: inoubliable. Que me restera-t-il à faire? Eh bien! ce que la dame blonde ou recolorée telle m'a demandé: examiner l'oreille de la brunette rieuse et mutine, mais avec précaution, sans toucher à l'honneur. Il n'y a pas de dépôt dans le canal ni de cicatrice au tympan, je suis aussi formel qu'elle a été catégorique.

— Pardon.

— Madame, votre fille a été admirablement bien soignée: je n'aperçois aucun reliquat de son otite.

On semble comprendre. Je reprends place derrière mon bureau et pose quelques questions à la fillette: «Réussis-tu bien à l'école? Entends-tu la maîtresse? As-tu ton pupitre en avant de la classe?» À toutes les questions, elle répond vite et clairement. Son pupitre est dans l'avant-dernière rangée, son bulletin est assez bon. «Il pourrait être meilleur? — Non pire.» Rien n'indique la moindre surdité. Je remarque toutefois que la mère, à la même distance, me regarde avec trop d'attention et ne m'entend pas aussi bien. En effet, quand je lui ferai part de mes conclusions sans hausser le ton, lui parlant de la même voix qu'à sa fille, elle me demandera de répéter. Je le fais. Il me semble apercevoir un peu de malice chez la petite sourde, mais surtout l'air de plaindre cette pauvre femme qu'est sa mère, pour laquelle elle a de la tendresse et de la considération. Il faudra que moi de même je reste respectueux dans mon blabla explicatif.

— Vous savez, chère Madame, il survient des troubles passagers chez un enfant. Qu'est-ce qu'un enfant? Un petit être qui change et peut attraper en passant dans un courant d'air un tic dont il se débarrassera par lui-même si vous n'en faites pas cas. Votre fille vous fait répéter, parlez-lui moins souvent, disons deux fois moins, et vous ne dépenserez pas plus de mots que si elle vous comprenait du premier coup. Il s'agit d'un simple défaut d'attention. Peut-être aussi a-t-elle remarqué que par impatience vous l'appelez toujours deux fois? Alors elle n'a pas tellement à se presser, certaine que vous allez vous répéter. Si vous ne le faites plus, il faudra bien qu'elle vous réponde dès la première fois. Vous verrez, chère Madame, c'est aussi simple que ça — simple comme tout.

Et la dame, un peu dure d'oreille, s'en alla avec sa gentille fillette qu'elle, toute la première, faisait se répéter. Sourde complète, elle l'obligerait à devenir carmélite. Tout donner, c'est métier de mère.

Dames muettes

Les hommes ne savent pas trop ce que pensent les femmes. Que leur importe ce qu'elles disent pourvu qu'elles bavardent. Mais se taisent-elles, c'est toute une affaire. Après un accouchement, une dame ne s'était pas relevée; elle restait au lit et ne parlait plus. Sa fille aînée, retirée de l'école, prit charge de la maison. Un an et demi plus tard, le mari, bel homme, jovial, entrepreneur en construction, me manda parce que sa femme, toujours muette, grossissait du ventre. Un confrère, que la folie intimidait, avait diagnostiqué un kyste de l'ovaire. Le mari, lui, avait ses raisons d'en douter. De fait, de nouveau enceinte, elle était en train d'accoucher. Elle eut son enfant avec indifférence, sans un mot, sans une plainte, et ne se releva pas, restant comme elle était. Cependant, trois ou quatre semaines plus tard, alors que sa fille aînée cuisinait et maugréait parce qu'elle ne trouvait pas le livre de recettes, la dame qui, de son lit, suivait tout ce qui se passait dans la maison, eut pitié de la petite ménagère et lui cria:

— Linda, il est dans l'armoire, au fond, à gauche, sur la troisième étagère.

Le lendemain, elle était sur pied, alerte, trop alerte, car loin de reprendre les tâches de la maison, de se remettre aux soins de ses enfants, elle se mit à vagabonder dans le Coteau-Rouge et à parler, à trop parler. Elle disait qu'elle avait un compte à régler avec son mari, le beau d'jobbeur, qui l'aurait trompée tant et plus. Elle ne tarda pas à se faire remarquer. La police l'interpella. Elle répondit qu'elle chassait pour rendre la pareille à son mari. Ce fut lors de cette interpellation qu'elle remarqua le caporal Métivier. Le lendemain, elle vint le relancer au poste. Elle vagabondait durant la journée, alors que les hommes sur lesquels elle aurait pu compter étaient à leur travail. À cette époque, à la fin des années cinquante, le Coteau-Rouge était une municipalité pittoresque mais austère.

Mal engueulée depuis qu'elle avait retrouvé la voix, la dame était devenue une mégère. Elle fit au caporal Métivier des propositions précises. Le caporal ne la rebuta pas. Saint-Jean-de-Dieu jouait à guichets fermés. Les malfaiteurs causaient moins d'embarras à la police que les fous. Elle n'avait guère d'autre moyen que de les refiler aux municipalités voisines. On gardait mauvais souvenir, au poste, d'un électricien autodidacte qui, après avoir lu Platon, Hegel et Marx, avait aperçu la vérité et s'était mis à l'enseigner, tout nu, dans les rues. Il avait fallu le coffrer.

Sa prédication commencée, il n'arrêtait plus, ayant perdu faim et sommeil. Durant près d'une semaine, il avait déliré jour et nuit dans un des deux petits cachots du poste. J'étais alors médecin de la police. Matin et soir, je téléphonais à Saint-Jean-de-Dieu, tantôt poli, tantôt fâché, en appelant à la compassion ou menaçant, en vain. Je ne connaissais pas la procédure: on demandait l'internement en privé, quitte à payer le premier mois; ensuite l'asile était bien obligé de garder le fou. Après cinq jours, le chef de police avait compris mon incapacité. Pour sa part, ayant appris que notre énergumène avait un cousin cultivateur à Sainte-Théodosie, il fit ôter la fraise d'une auto de patrouille, se mit en civil, lui et un de ses hommes, habilla le tout-nu de force et le conduisit chez le cousin. Là, ils sonnent, on ouvre, ils poussent le spécimen dans la maison et se sauvent. Le soir même, le médecin de Varennes, de plus d'autorité que moi ou connaissant la passe, ou tout simplement parce que les ruraux avaient préséance sur les citadins, obtint son admission à Longue-Pointe, où peu après, dévoré par la vérité, il mourut d'épuisement.

Le caporal Métivier ne découragea pas les avances de la virago qui en voulait vraiment trop à son mari, le beau d'jobbeur, parce qu'on craignait qu'elle ne devînt scandaleuse et qu'on dût la coffrer, quitte à rester pris avec elle comme avec l'électricien. Conseillé par le chef qui doutait sans doute de la légalité de son expédition à Sainte-Théodosie, le caporal lui donna rendez-vous à Montréal, rue Saint-Denis, à telle adresse, telle heure:

— Chérie, je t'attendrai dans la chambre du fond, à gauche, au deuxième. On feindra peut-être de ne pas te comprendre, on voudra même t'empêcher de monter: n'écoute rien, fonce et monte.

Que se passa-t-il? On n'entendit plus parler de la dame, assurément folle. Sans doute fut-elle appréhendée par la police de Montréal, qui, de peine et de misère, la refila à Saint-Jean-de-Dieu. C'est exactement ce qu'on avait voulu. Mais tout ne se passait pas toujours ainsi. Il arrivait qu'on se souciât de savoir ce qu'une dame pensait et que, par l'amour et la tendresse, on la délivrât de sa folie sur place, sans recourir à la brutalité de l'internement. Un menuisier du Coteau-Rouge fut à la hauteur d'un roi des *Mille et une nuits*.

Ce roi des Perses, Bedar, aurait été le plus fortuné des princes s'il avait eu un héritier, et il avançait en âge. Or, il acheta une esclave d'une insurpassable beauté dont il devint aussitôt amoureux. Elle se nommait Gulmare, ce qui signifie, en persan, la fleur du grenadier. Il ne le savait pas et ne l'aurait probablement jamais appris. La belle esclave restait indifférente entre ses bras, sans un mot ni un sourire. Décontenancé, il s'informa auprès de ses dames d'atours qui lui répondirent: «Nous ne savons si c'est mépris, affliction, bêtise, ou qu'elle soit muette: nous n'avons pas pu tirer d'elle une seule parole.» Le roi aurait pu convoquer des mages, mais il craignit que ces gens de médecine, de plus de science que de délicatesse, ne lui manquassent d'égards, et il leur préféra des poètes, des jongleurs, des musiciens qui, à défaut de réussir, témoignèrent du moins de son amour, de la douceur de ses procédés pour la consoler et la réjouir. Il fit davantage: il renvoya ses autres femmes et ne garda qu'elle seule, toujours indifférente, comme un pauvre homme, lui, le plus grand potentat de l'Orient. Et les mois passèrent, diminuant ses jours, lui qui n'en avait plus guère. C'était là un grand pari, un pari presque insensé, et la preuve d'un tel amour qu'il n'en attendait, à moins d'un miracle, aucun retour. Au bout d'une longue année, le roi Bedar dit humblement:

— Quelque chose en moi m'assure, Madame, que vous n'êtes pas muette. Dites-moi un seul mot et je ne me soucierai plus que de mourir!

À ce discours, la belle esclave qui, selon sa coutume, avait écouté le roi, les yeux baissés, le regarda enfin, et elle souriait. Elle parla et lui annonça qu'il serait bientôt père d'un fils. Dans ce cas, pourrait-on dire, une folie en avait guéri une autre.

— La volonté, expliqua la princesse Gulmare, ne peut être maîtrisée; elle est toujours à elle-même.

Le menuisier du Coteau-Rouge, père de cinq enfants, propriétaire de la maison qu'il avait bâtie de ses propres mains, était au-dessus de ses affaires grâce à quelques petites économies. Or, un sixième enfant naquit, à la maison, bien entendu, c'était dans l'ancien temps, il y a trente ans. Sa femme, jusque-là ménagère avisée, aussi courageuse que lui, se releva dans les limbes, incapable de lever le bout du petit doigt, possédée par l'âme du bébé qu'elle venait d'avoir. Elle se berçait près de la fenêtre, dans la cuisine, et ne faisait que dire: «Reste avec moi, mon mari. Reste avec moi.» Il resta, c'était contre le sens commun, au mépris des dures nécessités de la vie, et pour combien de temps? Il n'en savait rien. Eh bien, il resta près de seize mois. Ses économies y passèrent, il hypothéqua sa propriété. À la maison, il s'occupait de tout, du ménage, des enfants et de sa femme. Celle-ci ne cessait de se bercer et de le regarder faire. Ce menuisier-là, par tendresse, tout comme le roi de Perse, jouait gros. À mesure que les semaines passaient, il devenait de plus en plus évident qu'il pariait sur un miracle. Il gagna. Après un an, sa femme commença à l'aider à mettre la table, à laver la vaisselle, à lui donner des conseils culinaires — des petites choses qui prirent peu à peu de l'importance. Après seize mois, à bout d'argent, presquement dans la rue, elle lui permit enfin de prendre son coffre d'outils et d'aller travailler comme avant. Et depuis, cette épreuve grandiose chez des gens aussi ordinaires est restée entre eux comme une chose dont ils ont un peu honte. À moins que ce ne soit par pudeur, ils n'en parlaient jamais et n'aimaient pas qu'on la leur rappelle. La folie était vraiment hors de leur portée, un luxe de rois, un sujet de contes. Une fois qu'elle avait été conjurée, ils étaient redevenus qui un menuisier, qui sa femme et la mère de ses enfants dans le faubourg du Coteau-Rouge où, aux prises avec les dures nécessités de la vie, il n'était pas permis de compter sur les miracles, ni de s'illusionner avec des contes.

Le caquet
et les gouttes de sang

Que sait-on des amours anciennes, sinon qu'elles étaient fécondes? Les enfants ne tardaient pas à envahir la maison, au grand jour, reléguant dans la nuit père et mère qui, dès lors, s'y enfermaient dans le plus grand secret: jamais un mot plus haut que l'autre, toujours d'accord. Mystérieuses amours que les enfants n'avaient pas la moindre envie de percer. N'en étaient-ils pas, sans le savoir, la jubilante divulgation? Et puis, il n'y a pas si longtemps, l'imprenable donjon s'est lézardé, la nuit a cessé d'être muette. Qui donc s'est plaint le premier? Un inquiétant bonhomme.

— J'ai fait trois dépressions, écrit-il, et par deux fois j'ai été enfermé. Quand je revenais à la maison, je n'y étais plus qu'un pensionnaire. Ma femme me menait à la baguette, toujours à me menacer de me renvoyer à l'asile. Je n'en menais pas large. Elle prenait toute la place et sortait à son gré et plaisir. Moi, chaque nuit, je rêvais que nous étions réconciliés. Ma femme se tenait près de son lit et je pleurais en pensant à nos amours passées comme à un enfant perdu. Ma femme me consolait. Je cessais de pleurer. Alors elle disparaissait et près de moi, dans un lit jumeau, je voyais une fillette de douze à treize ans, toute habillée de blanc, morte.

Il décrit son rêve au passé. C'est bien la peine d'en faire état! Il ne survit que pour mieux se complaire et se plaindre. Les femmes, elles, ne restent pas captives, et, loin de larmoyer, elles s'émerveillent de leurs rêves.

— Je n'ai jamais voyagé, écrira l'une d'elles. Pourtant, la nuit dernière, je me suis trouvée dans une ville étrangère. Les rues étaient pleines de gens que je ne connaissais pas. Cela me semblait plutôt curieux. Soudain un homme et une femme âgés me prennent par le bras: «Venez, nous allons nous cacher.» Je leur demande pourquoi; je suis une inconnue: qui peut me vouloir du mal? Ils m'ont répondu que j'étais de chair humaine: «Les bouchers s'en viennent.» Je les ai suivis dans leur maison. Ils me firent descendre dans la cave par une trappe. C'était une cave de verre, sans rideau. J'y cherchais un coin pour me cacher quand j'entendis des bruits de pas: une dizaine d'hommes, d'allure militaire, s'en venaient vers la maison. Le premier brandissait un large couteau et du sang frais en dégouttait. Je pensai que c'était là les bouchers de la chair humaine. Je n'eus pas le temps d'avoir peur: le grand couteau n'était qu'un beau drapeau.

Tout s'arrange avec les bonnes femmes. En voici une autre, probablement d'un village rural, qui rêve souvent de vaches et de bœufs: «Ils me poursuivent mais ne m'attrapent jamais. Je rêve aussi à des rivières qui débordent: des gens et des autos s'y engloutissent, mais moi, je réussis toujours à m'en sortir. Je suis mariée et mère de quatre enfants.»

Et cette autre, pas mal extraordinaire, plutôt drôle: «J'ai quarante-quatre ans. Je suis veuve depuis quatorze ans. Je souffre beaucoup de ma solitude. Je voudrais savoir la signification de deux rêves qui m'ont accompagnée toute ma vie. Dans le premier, je marche sur les eaux sans y caler. Le deuxième est encore plus étrange; il se passe au ralenti: au moyen de mes lèvres, géantes, j'écris des lettres dans le ciel; ensuite, je suis dans l'obligation de les effacer l'une après l'autre.»

Il est tout naturel d'être une femme, et facile; homme, non. Nombreux sont les garçons qui deviennent taciturnes à la puberté, quand la voix mue et qu'ils s'entendent parler sur un registre plus bas, comme du fond d'un puits, avec la grosse voix de leur père. Une voix qui leur semble étrangère. Durant toute l'enfance, ils ont appris à parler de leur mère, gardant à peu près le même timbre de voix qu'elle. Alors que leurs sœurs sont devenues des femmes tout simplement, sans brisure, ils deviennent des hommes après une rupture qui transforme leur discours. Ils parleront de chasse, de guerre, de travail, de tout ce qui se passe hors de la maison. Ils ont été chassés du gynécée. Certains en restent interdits; d'autres réussissent si bien dans ce langage qu'ils ne pourront plus guère communiquer avec femmes et enfants. Il leur semble que ceux-ci parlent pour ne rien dire, pour le plaisir de caqueter, et c'est juste en partie: il y a beaucoup de jeu dans l'apprentissage de la langue. Souvent l'esprit vient de même, par le singulier mélange de l'à-propos et de l'improvisation, et l'on peut avoir ainsi plus d'esprit que d'intelligence. La poésie se tient dans ces parages; elle a voix de femme et d'enfants.

Cela dit, le caquet féminin peut devenir intolérable quand il n'y a plus d'enfants dans le gynécée et qu'il continue à tourner comme un disque sans fin. La femme, qui n'exerce pas son métier de mère, s'irrite à faire son ménage pour rien, sous prétexte qu'il est toujours à recommencer. La maison hantée exprime assez bien sa névrose.

— J'ai rêvé que ma maison était hantée. Au fur et à mesure que je rangeais les choses, elles se déplaçaient d'elles-mêmes. Je tentais de mettre de l'ordre; j'y perdais mon temps. Dans mon rêve, ma mère vivait encore avec nous. C'est elle qui s'aperçut de la disparition du stéréo, complètement affolée, s'arrachant les cheveux et criant que ce serait maintenant à son tour de disparaître. Pour la consoler, je lui affirmai que c'était moi, non elle, qui allais perdre le caquet et me dissiper dans le silence de la maison. Sur les entrefaites, mon mari rentra de son travail. Je courus vers lui pour lui faire part de l'étrange disparition du stéréo. Cela ne lui fit ni chaud ni froid. C'était comme si j'avais parlé au mur. Pendant que je lui faisais mon récit, il s'était assis à la table de la cuisine, repoussant la vaisselle du dîner pour y mettre sa boîte à lunch, toute vilaine et noire. «Tu ne comprends donc pas! Après le stéréo, ce sera moi, ce sera ma mère qui allons disparaître!» Il ne disait rien, regardant sa main; il comptait les gouttes de sang qui s'écoulaient du bout de ses cinq doigts et tombaient l'une après l'autre, sur le plancher.

une manie que nous avons tous, nous, Québécois, de parler avec familiarité de nos gouvernants pour montrer qu'ils ne nous impressionnent pas. Mais dans le cas, il se pouvait que le docteur, lui-même natif de la province du milieu, eût connu le ministre jeune journaliste.

— Oui, il en a été question, répondit Guidou, mais Gérard a craint de faire rire de lui. Tout de même, on ne tire pas sur un p'tit gars de Trois-Rivières!

Le vieux docteur rabaissa le menton et renfrogné dans son coin, n'ouvrit plus la bouche jusqu'à Ferme-Neuve. Il se nommait Legris et dépassait la soixantaine. Sa présence nous gênait un peu. Après plus de trente ans de pratique, il aurait dû être riche, retraité ou patron dans un hôpital, et le voici qui se rendait dans la brousse remplacer un jeune confrère, incapable d'y tenir le coup. Il donnait l'impression d'avoir tout raté, carrière, fortune, famille, d'être un professionnel plus que médiocre, un pauvre type obligé de quémander un poste en Abitibi, qu'il avait obtenu parce qu'on ne pouvait trouver mieux que lui et qu'il fallait calmer les populations inquiètes de se trouver sans médecin. Ce n'est pas une province pour finir en beauté sa carrière que l'Abitibi ou le Témiscamingue. Nous, les trois bacheliers, nous venions nous y faire la main, comptant revenir ensuite en ville, à Montréal, à Chicoutimi, à Québec ou à Rimouski, dans le monde, quoi!

Quand le vieux se fut tu, nous avons parlé de la dernière saison du baseball. Guidou écoutait et, parfois, glissait son mot. Un peu avant L'Annonciation, la neige se mit à tomber, fine et virevoltante, qui ne tarda pas à s'alourdir en traits obliques, de plus en plus serrés. La chaussée se couvrit d'une nappe unie, assez épaisse à Mont-Laurier pour que le chauffeur, après avoir fait le plein d'essence, émît des doutes sur la fin de notre voyage: si cette bordée ne cessait pas ou ne tournait en pluie, nous pourrions rester pris dans le parc forestier, loin d'Amos et même de Val-d'Or. Notre entretien sur le baseball perdit tout agrément. Nous nous taisions à notre tour, fascinés par le lourd roulement de la limousine dans la neige. La visibilité était courte. Guidou avait ralenti son train. «Il n'y a rien de plus traître, dit-il, que la première tempête. Elle nous prend toujours à l'improviste.» Il avait bien dit tempête. Nous sortions de Ferme-Neuve. Alors, dans le silence, nous entendîmes le docteur Legris remuer dans son coin; il relevait le menton: «Alors, ce baseball?» demanda-t-il. Je lui répondis que la saison était finie. «La partie remise pour cause de mauvais temps», ajouta Guidou. Il fallait se rendre à l'évidence qu'il n'aimait pas le baseball, le vieux docteur, non, pas du tout!

— Y pensez-vous? Et la communion des saints et des simples d'esprit? Grâce à ce jeu commandité, subventionné, béni par l'État, où les joueurs reçoivent des salaires fabuleux, des salaires de dieux, elle garde tout le monde dans la futilité.

— Ne vous en faites pas, Docteur: le hockey s'en vient, la communion reprendra.

En parlant ainsi, Guidou eut-il une distraction? La limousine fit une embardée. Il n'eut pas trop de mal à la remettre dans le chemin. J'en profitai pour lui dire: «Guidou, ne te prends pas pour le ministre: tais-toi et conduis.» Et me tournant vers le vieux docteur, je lui conseillai de nous dire le fond de sa pensée: «Allez, Docteur: dans les tempêtes, la parole est aux vieux pilotes.»

— Savez-vous bien, dit-il, que les temps approchent où l'État nommera des inspecteurs, des inquisiteurs, pour repérer les mécréants qui ne participent pas, par le baseball ou le hockey, à la communion en Papa Boss? Vous avez compris que Papa Boss est le nouveau nom de Dieu.

— Ces mécréants, tous des criminels?

— Non, pas nécessairement, mais des païens comme il en resta après le triomphe du Christ, des paysans, des demeurés, des gens à surveiller.

— Des gens comme vous, Docteur Legris?

— Non, je suis trop vieux. Les inquisiteurs seront assez avisés pour laisser au temps le soin de les débarrasser de moi.

— Ne pourriez-vous pas abuser de leur mansuétude?

— Le cas a été étudié par les théologiens de Papa Boss, lors de leur dernier concile à Atlanta City. Après soixante ans, rien à craindre: la violence est éteinte.

— Mais la mauvaise influence, la sorcellerie, Docteur Legris?

— La vieillesse a cessé d'être le dépositaire de la mémoire collective. Elle a perdu toute utilité. Elle encombre: un vrai désastre que la mort n'arrive pas à déblayer. D'où la propagande des pères conciliaires: la vieillesse est probablement une tare génétique dont il convient d'avoir honte. À défaut de se passionner pour le baseball ou le hockey, que vieillards et vieillardes tentent de se rajeunir, quitte à être grotesques. C'est ainsi que Papa Boss nous récupère, obsédés de santé, vieilles peaux étendues sur les plages de Miami. Avec un peu d'entraînement, c'est au pas de course, en criant heu! heu! qu'on ira se tirer dans le trou noir, au cimetière.

La limousine fit une autre embardée.

— Arrêtez-moi ça, Docteur Legris! On dirait que vous voulez nous tirer avec vous dans le trou!

Le menton levé, le cou tiré, il me dit:

— Je vous l'avoue, mon jeune ami: cette tempête de l'ancien temps m'est infiniment agréable.

Guidou grommela:

— On voit que ce n'est pas vous qui allez devoir pousser tantôt.

La grosse limousine, en effet, avait de plus en plus de mal à atteindre le haut des buttes. Une première fois, il nous fallut reculer pour attaquer une côte à meilleure vitesse. Et puis une deuxième fois, une troisième. Enfin, nous dûmes y mettre la main, nous, les trois bacheliers, et l'aider à finir ses montées, cette limousine aussi pesante que si elle avait été blindée. Et il fallut recommencer, de peine et de misère. Nous étions tout mouillés. Guidou ne manquait pas de nous prédire que nous y attraperions notre coup de mort.

— N'importe, les gars, pourvu que Gérard ne soit pas obligé de m'attendre à Amos... Avez-vous au moins voté pour lui, bande d'ingrats?

Il nous taquinait, sachant qu'il y avait un petit hôtel pas loin, «La Clef d'or». Quand nous l'atteignîmes enfin, il nous demanda: «Que diriez-vous d'arrêter, le temps de prendre un café?» Nous n'en repartîmes que le surlendemain.

II

Mes deux collègues, Domino, le psychologue, et Petit-Pois, l'agronome, frais émoulus comme moi, Cheval, qui suis vétérinaire, passèrent le temps à jouer aux cartes avec deux géologues en tournée de prospection, P'tite Taupe et Grand'Taupe, tandis que nous, Guidou, le vieux docteur et moi, nous nous racontions des histoires. Guidou, fils et petit-fils de charretiers de Trois-Rivières, qui avait fait au moins cent métiers avant de devenir le chauffeur du ministre, en possédait un vaste répertoire. Le mien, même de fraîche acquisition, me permettait de le relancer. Le docteur Legris, lui, était un bon public. Il nous écoutait avec une attention à laquelle rien n'échappait et qui nous inspirait. Quand nous lui demandions d'entrer en lice, il souriait sans relever le menton. Il ne disait pas non, nous faisant signe de la main de continuer notre tournoi: «Quand vous aurez fini de vous mesurer, que vous saurez tout l'un de l'autre, et qu'il n'y aura plus de feu entre vous, j'aurai peut-être un conte à vous dire, le seul que je connaisse et qui vous ennuiera assurément: moi-même, je le trouve trop long.» Ce conte s'intitulait *Adacanabran* ou *l'Homme à la tête fêlée*. Après le souper, Guidou et moi, nous eûmes une dernière passe, puis nous rompîmes, gavés l'un de l'autre, repus et satisfaits.

— Alors, Cheval? demanda Guidou.

— Guidou, répondis-je, je pense que nous nous en sommes assez dit pour nous taire et écouter le conte que le docteur Legris nous a promis comme régal.

Le vieux docteur releva le menton et nous dit, le cou crispé, entre les dents, que son conte était véridique. D'emblée, il me déconcerta: un conte pouvait-il être véridique? Je jetai un coup d'œil au compère Guidou. Il haussa les épaules: cela se pouvait à la condition qu'il fût personnel, le conte du conteur lui-même. Le docteur approuva la définition, puis reprit, le menton moins haut:

— Ce conte a pour propos de montrer qu'une tête fêlée prend plus de plaisir à perdre l'esprit qu'à le retrouver: elle le perd à son meilleur, pétulant, et ne le retrouve qu'à plat, éventé. Il n'induit pas cependant qu'elle devait le perdre ni, perdu, le retrouver. Il y a trop d'aléas à cette hauteur capitale, autant de cheveux que de vents. Non, la fêlure ne fait pas tout, autrement que de fous! Autrement plus qu'il ne s'en montre. Le docteur Adacanabran, lui, se montra.

— Et c'était vous, cher Docteur.

— Eh oui! c'était moi, Messieurs. Hélas! je m'y pris sur le tard, quinquagénaire avancé. Et cela me dura peu, le temps d'une fête, encore que je n'en sois pas tout à fait revenu. J'avais toujours proclamé sous l'effet de ma fêlure, avec une superbe qui ne convenait guère à ma condition, plutôt humble, que j'étais imprenable: «Qu'on me serre de trop près, je me sauverai par le haut.» Et je l'ai fait. Au cours de mon échappée, véritable apothéose, je me suis décerné moi-même mon surnom, Adacanabran. Je voulais dire Abracanabran, je dérapai sur le mot, me mêlai dans les consonnes, n'importe: aucune syllabe ne manquait, l'allusion était claire, le nom devenait ainsi spécial, unique, digne à la fois de mon apothéose et de mon dérangement.

— De qui, de quoi vous sauviez-vous?

— De rien, ou presque. Certes, il y avait un désarroi dans les astres, vous avez dû vous en rendre compte: la santé, cessant d'être un excellent moyen de vivre, en devenait la fin ultime. Cette perspective eschatologique rendit la médecine fort minutieuse et quasi sacerdotale, les confrères frénétiques, impérieux et insolents. En l'occurrence, lorsqu'on a la tête fêlée, on renfonce son bonnet et l'on se tient coi. Or moi, je jugeai l'heure venue de m'envoyer en l'air et de me proclamer hérétique. Dès lors, personne ne me menaça plus que moi-même. Loin de me sauver, je risquais de me perdre. Je me suis rattrapé de justesse, assez piteusement. Me voici revenu à mon ancien nom, conforme à l'état civil, docteur Legris, docteur Quidam. Je continue d'exercer mon art, mais sans frais ni majuscules, encore chanceux d'en avoir conservé le droit, un peu restreint, il est vrai.

— À l'Abitibi?

— Oui, quel avenir pour un sexagénaire! Je me survis plus ou moins. En retrouvant le sens commun, en me remettant l'esprit dans la tête, j'ai eu l'impression de tomber dans un caveau. Et ma fêlure? Hélas! Elle n'est plus la même. Lorsque je lève les yeux, dans mes ténèbres, je l'aperçois, trait lumineux, fine ouverture désormais interdite par laquelle j'avais cru pouvoir m'échapper dans les grands ciels fabuleux.

Le docteur Legris soupira. Sans la tempête nous aurions été consternés: à peine avait-il esquissé son conte. Il parlait en termes. Son débit était si lent qu'il en avait encore jusqu'à la fin des temps.

— Une petite bière, Cheval? Et vous, Docteur?

Guidou revint bientôt; il en apportait toute une caisse. «Ne vous gênez pas, c'est aux frais du ministre.» Le docteur, faute de pouvoir s'envoyer la tête en arrière, n'en prenait que des petites gorgées.

— Allez-y, Docteur: on est paré à l'entendre jusqu'à la fin, votre conte véridique.

— Un conte reste un conte, même véridique. *Adacanabran*, le conte du conteur à la tête fêlée, en est un, en effet, certainement plus cruel qu'un conte tout simplement cruel. Pensez-y: quelle calamité d'être à la fois le conte et le conteur! Il n'y a pas moyen d'ajuster les deux: ou bien le conte ne conclut pas, ou bien le conteur reste veuf de son conte.

— Allez-y, Docteur, répéta Guidou, vous pouvez compter sur nos condoléances.

— À moins que je n'aie le temps de vous enterrer tous les deux. Après tout, c'est encore mon métier.

— Vous l'avez dit, Docteur: cruel pour vous, mortel pour nous, l'*Acadanabran*, ce sera tout un conte.

Le docteur Legris rectifia, l'*Adacanabran* et non l'*Acadanabran*, puis il commença enfin.

III

Je naquis avec une fêlure à la tempe gauche, juste au-dessus du centre de la parole. Cette lésion, loin de nuire à l'acquisition du langage, la favorise. Je parlai tôt et très bien, très attentif à ce que je disais, premier de mes interlocuteurs. Les autres ne m'ont jamais servi qu'à m'écouter parler et à mesurer sur eux l'effet de mes bons mots. Tous les enfants passent par ce stade. Moi, j'y restai sans trop qu'il en parût, continuant de grandir et de m'instruire, d'aller à l'école, à la petite puis à la grande, tant à la fin que je suis devenu médecin. Je me tenais à l'écart de mes camarades, garçons grégaires qui riaient fort, heureux d'être ensemble, et c'était moins pour me distinguer que dans l'intention de rester seul, soucieux et méditatif, avec mon interlocuteur favori. Je ne tardai pas à me rendre compte qu'il n'était pas facile de lui plaire, à cet alter ego jumelé, et que pour s'écouter parler, éprouver sur soi l'effet des mots, on doit sans cesse improviser, dire n'importe quoi excepté sa pensée. Celle-ci n'est qu'une phrase préparée et ne peut en rien, telle une redite, surprendre et fixer l'attention. Quant aux idées communes, élaborées par les grands spécimens de l'espèce, elles ne valent pas mieux, radotage. Il me fallait quand même m'y prêter, à la redite et au radotage. Dieu, quel ennui! Je n'avais pas mieux, pour m'en tirer, que de comprendre au plus vite ce qu'on attendait de moi. Ensuite j'avais tout le loisir de m'adonner au plaisir solitaire de l'amphigouri et du galimatias, de délirer en ma propre et unique compagnie sous l'effet d'une fêlure dont j'ignorais la présence.

— Cette singularité vous semblait toute naturelle?

— À vrai dire, elle ne laissait pas de m'inquiéter. Je me trouvais tellement différent des autres, ces intrus si nombreux autour de moi, là depuis longtemps, depuis toujours peut-être, tandis que j'arrivais à peine, et c'était eux, hélas! qui faisaient les lois. Quand d'aventure mes camarades revenaient vers moi, toujours à la traîne derrière eux, par gentillesse, pour me montrer qu'ils n'avaient rien contre moi et que je gardais ma place parmi eux, ils restaient étonnés de me surprendre tel que j'étais avec moi-même, à la fois triste et bouffon. Mais je ne me laissais guère approcher ou restais taciturne. Rien n'indiquait chez moi le moindre goût de me joindre à eux. Cette distance ne tarda guère à me valoir une réputation de hauteur dédaigneuse. Or, que faire contre une réputation à qui l'on donne des apparences? Elle enveloppe, captive et pénètre. Honteux d'abord, j'en pris mon parti. Je me désolai avec superbe de mon vice fondamental, de mon empêchement à dire les choses simplement comme tout le monde, de mon irrépressible besoin de pervertir le langage, ce bien commun indispensable, d'en altérer la forme pour en couler le fond, bref d'être fol avec moi-même presque tout le temps, quitte à paraître intelligent par nécessité, le moins souvent possible. En classe de méthode, à la devise de mes maîtres, les Jésuites, *A.M.D.G.*, je substituai la mienne, *Quid mihi?* En d'autres termes, je balançais la plus grande gloire de Dieu pour lui substituer la mienne. Je ne gardais pas mon bonnet renfoncé; je sus attirer l'attention. Cela ne portait guère à conséquence: quelques coups de bâton sur la tête me remettaient vite à ma place. En attendant, cette morgue valait mieux que la honte même si, en me singularisant, elle n'expliquait rien. Ce ne fut que quelques années plus tard, à l'examen du doctorat, que je me rendis compte enfin que j'avais une fuite, un courant d'air au-dessus de l'hémisphère gauche, en arrière de l'oreille. Je me prouvai ainsi que je n'étais pas indigne du beau titre de médecin. Je ne le dus pas à ma raison, mais à ma folie.

Une question portait sur les trompes d'Eustache. Au lieu d'y répondre comme il est convenu de le faire depuis deux ou trois siècles, je m'y pris autrement, disant de ces trompes qu'elles étaient de malicieux conduits cachés dans le fond du gosier pour mieux rire d'avoir défiguré à jamais le savant Eustache. Plus qu'une sottise, c'était une ânerie. Elle me valut un zéro, lequel ne m'empêcha pas de passer à l'examen, le zéro dont j'avais le plus grand besoin, la lunette où j'aperçus, ô lumière, mon irrémédiable fêlure. Cette lunette, intime et secrète, et le diplôme officiel, en latin, formèrent la paire qui me permit de mener une carrière à peu près honorable. En me surveillant, je parvenais à me faire entendre du public à qui je vendais mes consultations, puisque c'était là dorénavant mon métier. Aux dépens de ce public, pourtant parcimonieux, qui en voulait pour son argent, je fondai une famille et fis subsister ma maison. J'eus même les moyens de donner à mes enfants princiers une cour d'animaux domestiques, des chats, des chiens, des oies, et, à la fin, c'était des chevaux, de beaux et grands chevaux. Cela dura des années et des années.

Je ne pouvais m'ôter de la tête ce qu'il y avait et fus longtemps à me répéter: «Ah! si le public savait!» Devant les peines et les misères, tout en faisant de mon mieux pour y remédier, je me sentais démuni et malheureux. Nonobstant ma superbe, je n'ai jamais eu une grande estime pour moi-même. Je me retrouvais sur la face humiliée et obscure du royaume de Dieu dont j'avais dédaigné la gloire. Il m'arrivait de prier, même de promettre de me convertir en échange d'une guérison, mais dès que je

m'étais tiré d'inquiétude, j'oubliais mes prières et mes promesses. La nuit, je faisais des cauchemars, accusé de
meurtre et dans l'impossibilité de me défendre. Le jour, je
m'en ressentais et ne cherchais jamais à nuire. J'écoutais
avec attention les gens qui me questionnaient sur des
malaises vagues et confus, quelques fois invraisembla-
bles. Je pensais bien à ce que j'allais dire, puis me pronon-
çais en y ajoutant quelques petites pilules: «Prenez-moi ça
et vous verrez que ce que je vous dis est vrai.» Je n'y
croyais pas autant que je voulais bien le faire croire: quel
médecin est toujours sûr de lui? Là n'était pas mon principal défaut. Il tenait à mon manque d'enthousiasme, à l'ennui que me donnaient les phrases préparées. Je n'avais
pas le génie de la communication ni le don de l'enseignement. Je parlais du fond des brumes, avec une élocution
appliquée et lente. Il n'y avait rien en moi de constructif, ni
rien en la médecine, d'ailleurs, qui met aux prises avec les
éléments destructeurs de la vie. En la pratiquant, on ne
peut s'empêcher de constater que le grand remède, le principe régénérateur, c'est la mort. Je me taisais sur le principal et me reprenais par des sornettes, réussissant à me
faire comprendre plus ou moins, assez pour exercer une
profession qui m'offrait d'ailleurs, en plus des honoraires,
de bons petits moments, lorsque le savoir-faire l'emportait
sur le devoir-dire, quand, par exemple, passant après
l'avorteuse, je corrigeais un travail mal fait par le curage
digital, certes pénible pour le poignet et la patiente, mais
toujours efficace, après lequel je n'avais que deux mots à
dire: «C'est fini», ramasser mes affaires et m'en aller, le
portuna léger. J'aurais été plus heureux vétérinaire ou
arracheur de dents.

À mesure que les années passaient, je relâchais ma
surveillance, oubliant le client et redevenant mon principal
interlocuteur. Je m'exprimais d'une façon plus mysté-
rieuse, détournée et tarabiscotée, mais sans me rendre

ridicule. J'avais vieilli. Les gens étaient gentils pour moi, réservés dans leur jugement. Quand ils ne me comprenaient pas, ce n'était pas de ma faute, à moi, mais de la leur. J'aurais pu continuer ainsi encore longtemps, me rendre à l'âge de la retraite ou bien mourir avec ma fêlure, connue de moi seul, sous des astres propices et routiniers. Comme je l'ai déjà dit, il ne suffit pas d'une tête fêlée pour perdre l'esprit, mais d'aléas contraires, sans compter la frénésie qu'on met à se perdre. De ces aléas, le Diable se chargea. C'est lui le prince du désordre. À la suite d'un accident dans le ciel, accident préparé de longue main, la santé, jusque-là le meilleur moyen de vivre, en devint l'unique fin, le bien suprême, le salut. Qu'on imagine le branle-bas à la Faculté, les hennissements de Thomas Diafoirus et de son dernier avatar, le docteur Knock enfin vainqueur! La médecine devint religion d'État. Son culte, engloutissant la fortune publique, fut mis à la portée de tous. J'y perdais mon humble savoir-faire, décidément peu ecclésiastique. D'ailleurs, il ne s'agissait plus de guérir, mais de prévenir la maladie, de médicaliser la santé qui, cessant d'être une ingénue confiance en soi, une euphorie, un plaisir, devint une hypocondrie généralisée, une mise en accusation perpétuelle. Il fallait rendre compte qu'on n'était pas malade devant la sainte Inquisition. Du billet de confession, on était passé à la carte médicale universelle et obligatoire. De quoi rendre le monde fou. En tout cas, je le devins.

La transformation du discours médical s'accompagnait d'une augmentation du train de vie. Je me crus riche, tout-puissant, imprenable. Je me mis à contrefaire les mots et les noms. Je ne parlais plus que par allusion, sans dire à qui ni à quoi; il aurait été trop long de m'en expliquer. Je cherchais moins à me comprendre qu'à me surprendre et à me ravir. J'annonçai, moi, pauvre médecin de rien du tout, que je préparais un grand livre sur la folie, *Le*

Pas de Gamelin. La faute de mes prédécesseurs avait été d'en traiter d'une façon détachée, par le dehors, sans s'y mettre. Moi, je ne craindrais pas de le faire. On me regarda d'un air perplexe qui ne me déplut pas. Ce fut alors que je me proclamai le docteur Adacanabran.

Je nommai ma femme Régine, ma fille Jéricho et mon fils Tonnerre. Je venais de déménager de mon humble banlieue, en arrière de Longueuil, à Saint-Marc, au bout du rang des Trente, sur une faible éminence d'où l'on apercevait, à trente arpents, la longue courbe du Richelieu, vers Saint-Antoine et Saint-Denis. Un peu à droite, dans les champs, le clocher du village, en face de Saint-Charles, semblait se dédoubler. Un chemin de terre longeait mon nouveau domaine, l'ancienne montée de Verchères, encore banalisée, où ne passait plus personne excepté, la nuit, les cabriolets des Fils de la Liberté fuyant la tyrannie, dont celui d'Amédée Papineau, idolâtre de son père qu'il allait rejoindre à Albany. Le jour, le soleil était exorbitant. Je me levais tôt, le matin, pour me rendre à mon cabinet de Longueuil. Je voyageais dans une petite auto jaune serin, munie d'un poste de radio, que j'appelais ma boîte à musique. Je passais par Saint-Amable et revenais par le même chemin, en fin d'après-midi. Or, un jour, au lieu de la musique, un professeur français donnait une causerie. Il s'exprimait à ravir. Eh bien! loin de suivre ce qu'il disait, je l'entendais avec une légère avance, émerveillé, sous l'impression de m'écouter parler. Par la fêlure, mon esprit s'était dispersé, inspirant le monde entier. Quel prodige! et tout, dans mon apothéose, devenait extraordinaire. Je soulignais certains titres d'articles dans *le Devoir* et les montrais à ma fille: «Lis et dis-moi si je me trompe, Jéricho: ces titres ne sont-ils pas rédigés avec une perfection toute géniale?» Elle haussait les épaules: les titres lui paraissaient corrects, sans plus. Par contre, les traits au crayon feutre, traits de toutes les couleurs car, dans mon enthousiasme, je multipliais celles-ci, donnaient à un journal modeste un aspect bariolé, incongru, pour ne pas dire fou. Cette incompréhension de ma fille ne fut pas sans m'affecter. J'appris à me modérer. Quand les vaches du voisin me barraient la route, au lieu de céder à mon impulsion et d'aller féliciter le cultivateur de garder ses vaches en uniforme, je restais dans mon auto, craignant que le cultivateur, un Monsieur Lebeuf, ne prît mon élan sincère pour une moquerie, voire une insulte. «Elles n'en sont pas moins en uniforme», pensais-je. Au bureau de poste, je ne continuais pas moins de faire recommander mes lettres en disant au commis imperturbable: «En char allégorique.»

Dans mon fameux livre sur la folie, à proprement parler illisible, je représentais ma femme, Régine, en dame de carte, immobile sur une chaise de paille, le bras droit pendant, comme paralysé, tenant dans sa main gauche l'hélianthe bleu de Cracovie; un goglu virevoltait au-dessus de sa tête pour lui parler à l'oreille, la gauche, la droite, mais ce n'était jamais la bonne. Trois grandes oies blanches, derrière elle, lui servaient de laquais.

— Ah! Régine, écrivais-je, Régine, tu es ma reine. Toi seule je vénère.

Elle trônait dans la cour, en avant de l'écurie. Et tout en lui rendant hommage, je ne pouvais m'empêcher de penser que derrière cette écurie traînait une moissonneuse hors de service, une vieille réguine. La dame de carte avait un endroit, un envers, et la folie aussi peut-être. Moi, j'étais le joker. J'entendais le sifflement de la chambrière de mon fils Tonnerre en train de dresser un étalon. L'été fut très chaud. Il y avait souvent menace d'orage, mais jamais de pluie. Des follets boutefeux dansaient avec des cris stridents autour de grands épouvantails. Un matin, le journal annonça qu'un cyclone avait traversé un village près de Saint-Hyacinthe, marchant en zigzag sur sa pointe. Autour de la maison, les trois oies que j'avais achetées, encore dans leur duvet brun, si gentilles qu'elles suivaient Jéricho à la queue leu leu quand celle-ci allait à l'écurie ou en revenait, avaient maintenant leur blanc plumage. C'était deux jars et une oie, toujours en trio, ne se quittant pas de l'œil et se déployant avec stratégie pour se rapprocher de l'intrus; lui avaient-elles décoché un coup de bec qu'elles clamaient leur gloire au ciel, une gloire que je faisais mienne. Dans cette gloire et cette exaltation, au milieu d'un appareil grandiose et démesuré, devenu le docteur Adacanabran, je me sentais projeté hors de moi, en harmonie avec les prodiges de l'univers auxquels j'étais suspendu et comme à leur merci... Comprenez-vous maintenant qu'avec une tête fêlée, on prend plus de plaisir à perdre l'esprit qu'à le retrouver?

— Que vous est-il arrivé, cher Docteur?

— Ma superbe me rappela celle de mon grand-père maternel qui, à Saint-Léon, troublait les assemblées politiques en insultant les orateurs. «Il nous humiliait», m'avait dit un parent, encore fâché après un demi-siècle. Ma mère jamais ne me parla de lui. Mon père m'avait raconté que, pris de frénésie, il lui arrivait de descendre de Saint-Alexis à Louiseville au galop sur son cheval, l'Oiseau Bleu. C'est tout ce que je savais de lui. Il me restait encore un oncle et une tante paternels, l'un à Saint-Léon, l'autre à Trois-Rivières. Je fis un voyage spécial pour les aller voir. L'oncle Rodolphe me dit: «Ton grand-père, on ne sait pas où, quand, de quoi il est mort.» À la tante, j'expliquai comment cela me paraissait invraisemblable dans un petit village où tout le monde se connaissait. Elle finit par me répondre: «Eh bien, oui, ton grand-père est mort fou à Saint-Michel-Archange.» Et je revins à Saint-Marc moins glorieux, sous l'impression que je pouvais être fou moi-même.

Après avoir feint de croire en la médecine durant plus d'un quart de siècle, je ne lui trouvais plus la moindre nécessité. L'espèce n'était plus en danger. Elle disposait pour survivre de la reproduction. En l'occurrence, quel besoin avait-on de faire vivre les morts, d'écraser les populations sous le poids énorme des moribonds? Pourtant, la médecine ne lâchait pas, devenue en quelque sorte une religion aztèque. Un jour, le syndic de la corporation s'annonça; il venait élucider certains aspects de ma pratique. Quand il se présenta, je lui demandai: «Avez-vous un protocole?» Il me répondit qu'il n'en avait aucun besoin. Ce fut la fin de mes splendeurs, la vente de Saint-Marc, des beaux et grands chevaux. Mes enfants princiers durent se trouver des emplois, ma femme de même. Et moi, à soixante ans, au lieu de m'enfermer comme le grand-père, on m'a trouvé un petit poste en Abitibi, dont personne ne veut. Tel est le conte du conteur à la tête fêlée. Le conte est fini, le conteur reste et la tempête s'achève. On va pouvoir continuer vers mon avenir.

— Oui, en effet, dit Guidou, on le dirait, Docteur Adacanabran.

— Appelez-moi Legris tout simplement. L'Adacanabran et sa fêlure, ce n'est plus qu'un regret... Legris ou Quidam, à votre fantaisie. Savez-vous que ça ne me déplaît pas? Je serai encore durant quelques années un homme ordinaire, de plus en plus ordinaire. Et mort, que me fera ma fêlure?

Domino et Petit-Pois remontèrent dans la limousine, la barbe longue, le teint tout retiré, maussades. Les deux taupes, en prospecteurs avisés, les avaient dépouillés aux cartes. Ils marmonnèrent qu'ils n'avaient pas été chanceux.

— Cela n'est rien en comparaison du conte que vous n'avez pas entendu.

— Quel conte?

— Le conte du conteur à la tête fêlée.

— Eh bien, dites-le-nous.

— Trop tard, répondit Cheval: le conteur a survécu à son conte; il en est veuf.

Le vieux docteur se renfonça dans son coin, tout courbé, le menton rabaissé. Domino et Petit-Pois haussèrent les épaules. Guidou, sans plus d'encombre, nous conduisit jusqu'à Amos.

Les deux lys

Seigneur, qu'adviendra-t-il de cette journée? Un quantième, un autre jour du calendrier dont on arrache la page à la fin du mois, comme on jette le calendrier lui-même au bout de l'an? Sera-t-elle, tel hier le fut, tel demain le sera peut-être encore, une construction éphémère, le vitrail éclaté qui cède le passage à la galopade, à l'arroi furieux du temps à la course de lui-même et de moi, Seigneur, vieux cerf dont les bois sont devenus lourds et la fuite harassante? Ou bien ne donnera-t-il pas lieu, au travers du vitrail intact, au temps qui n'est déjà plus le temps — ou qui ne l'est pas encore —, à l'espace lumineux des bêtes et des enfants sans mémoire, du vieillard mourant, au moment éternel et glorieux de ton apothéose, Seigneur?

Hélas! je le vois bien, c'est encore le temps du temps qui passe. Seulement, il a perdu la fureur de son train. Il s'enroule sur lui-même et bouge à peine, réfléchi et complaisant, dans un circuit de vacance. Seigneur, tu t'es rapproché à la faveur de la nuit. Tu te tiens jusqu'à l'aube dans les roulements du tonnerre qui annoncent l'orage et ma fin prochaine, toujours remise au lendemain. Et le soleil est sorti de sa marmite noire, ce matin, comme une grosse lune rouge. Seigneur, tu te seras endormi! Il monte sans bruit, incandescent, mettre le feu au ciel et préparer le décours de l'été, les avoines jaunes et le cri strident de la sécheresse. C'est de nouveau le 12 juillet.

Ma mère est revenue. Je l'accompagne, juvénile et légère malgré la lourdeur du matin. Elle porte une robe de coton blanc, toute simple, et un chapeau de paille à ruban bleu dont le large bord lui ombrage le visage, plus indistinct d'une année à l'autre. Et voici qu'au détour du chemin, comme toujours à la même date, apparaît un boghei tiré par un très vieux cheval et, dans cet équipage, le Révérend Soçaurez, le pasteur miraculeux à la barbe rousse, aux petits yeux gris souris derrière ses lunettes à monture d'acier, sous d'épais sourcils presque blancs. On le reconnaît d'abord à son tuyau de poêle à petit rebord, long comme la cheminée du diable, qui ne bronche jamais et tient aussi solidement que s'il l'avait vissé au crâne. C'est à cause de cette coiffure, de son emprise extraordinaire, car on s'attendrait à la voir tomber à la moindre secousse, qu'on l'a proclamé pasteur miraculeux. Quant à son nom, voici: au siècle dernier, quand il distribuait partout sa vilaine graine, il disait en abordant les gens: «Moué, pâ palé lé frança, sorry, so sorry.» Et on l'a appelé le Révérend Soçaurez. Maintenant il n'a plus à se donner tant de mal, ni même à descendre de son boghei: il passe, satisfait de son apostolat, hochant de la tête et du chapeau, au milieu des lys rouges.

On les a semés en bordure du potager, le long de la route. C'est une plante qui vient facilement et ne demande pas plus de soin que la mauvaise herbe. Elle s'est répandue sur les levées de fossés. Bon an, mal an, dans notre pays français, elle fleurit partout, le 12 juillet, pour célébrer la fête des Orangistes, à deux jours de la prise de la Bastille qu'on célèbre en France, point ici, Seigneur, merci! car ce lys servirait de symbole aux deux fêtes. Il est quand même une fleur plaisante et familière. Personne n'en comprend le sens, à l'exception de ma mère. J'ai déjà voulu lui en cueillir une gerbe, juste avant l'apparition du pasteur miraculeux. Quand je lui en demandai la permission, elle me dit:

— Non, grand merci, tu ne me ferais aucun plaisir, j'ai cette fleur en aversion. Ce n'est qu'un semblant de lys, une douteuse imitation du nôtre. Barbouillé de rouge, il n'a ni odeur ni âme. Viens, retournons au jardin, allons cueillir le vrai. Lui, il demande des soins et de la peine. Son parfum s'exalte des temps anciens, des temps de ferveur et de sagesse, nous embaume royalement, nous qui sommes restés des Français de bon aloi, fidèles à feu le Roi.

Elle n'a pas fini de parler que le boghei, le tuyau de poêle, le très vieux cheval nous apparaissent. La barbe rousse du révérend semble ruisseler de bienveillance. Derrière ses lunettes, au fond de ses petits yeux gris souris, il y a un point doré, la lueur de satisfaction que lui cause le bon tour qu'il nous a joué. Il salue ma mère qu'il connaît sans doute. Elle lui répond à peine, juste assez pour que la politesse soit sauve, en accélérant le pas. Et plus loin, toujours plus loin, après le pasteur miraculeux et bien d'autres détours, nous finirons par arriver dans le jardin, à la maison. Chaque automne, elle fait recouvrir l'endroit du jardin où se trouvent les précieux bulbes, mettre des planches sur la paille, puis, l'hiver passé, la neige fondue, enlever ces planches, cette paille, et ameublir la terre noire et humide. Et la plante rare, le lys blanc, se risque à poindre, à grandir, à fleurir. Alors ma mère, avec précaution, choisira le plus beau des lys, un second presque aussi beau, un autre puis un autre, en fera une gerbe.

— Va offrir ces lys au Sénateur Legris. Il est sur sa galerie, en compagnie de Madame Legris. Prends bien garde en traversant la rue, il y a des gens dangereux dont les chevaux sont fous. S'ils viennent, attends, laisse-les passer.

J'attendrai longtemps sur le trottoir avant de m'aventurer dans la rue. Le soleil est haut maintenant. Le jour flambe au-dessus des grands ormes. Leur ombrage n'atténue guère la chaleur. Il n'y a pas homme malfaisant qui risquerait sa bête par un pareil temps. La rue est déserte et le

Sénateur somnole. Lui, sa barbe est noire et lui tombe sur les genoux. C'est Madame Legris qui reçoit mes lys, entre dans la maison et les rapporte dans un grand vase qu'elle dépose sur un tabouret, bien en évidence, entre le Sénateur et elle. On m'avance une petite chaise et je m'assois près du couple auguste. Le Sénateur regarde et c'est tout pour le moment. Il ne rit jamais et ne parle guère plus, encore figé par le grand honneur de représenter son pays dans une capitale lointaine, grave et muette. Il s'offre à la vénération de ses compatriotes qui le saluent. Il hoche la tête, c'est tout. Les passants sont rares et longues, longues sont les minutes. Enfin il dira: «Tu ne penses pas, mon petit garçon, que ta mère va s'inquiéter de toi?» Je reviens vite à la maison et ma mère prendra un petit air entendu: elle aura fait triompher le lys de France contre le lys d'Orange. Mais personne n'y aura rien compris, même pas le Sénateur, personne à l'exception du pasteur miraculeux qui, le chapeau toujours plus haut d'une année à l'autre, ne craint rien pour ses lys. Ils se répandent sur les talus comme des fleurs sauvages. Ma mère aux cheveux cendrés n'est pas aussi sûre du sien. Les hivers sont longs, le gel profond. Des deux lys, seul celui-ci, le sien, est miraculeux. Et la foi peut fléchir et ma mère en moi, une de ces années, pourrait ne pas revivre. Je mourrai donc deux fois.

Seigneur, qu'adviendra-t-il de cette journée? Donnera-t-elle lieu à ton apothéose ou à l'espace livide du temps noir, coagulé sur une croix dérisoire? Aurais-je vécu inutilement dans l'obsession d'un pays perdu? Alors, Seigneur, je te le dis: que le Diable m'emporte.

Notice et notes

La Conférence inachevée présente une quinzaine de textes réunis en 1982 par Jacques Ferron et sur lesquels il était à travailler au moment de sa mort. Sur la première page du manuscrit, quelques titres retenus par l'auteur: «Contes d'adieu», «Sornettes et contes du pays perdu», «Le pas de Gamelin», «La Conférence inachevée». Le premier ainsi que le deuxième de ces titres sont fort éloquents; ils illustrent l'atmosphère qui a pu présider à la confection du présent recueil.

LE PAS DE GAMELIN

NOTICE

Originalement, ce titre est celui du manuscrit d'un «ouvrage sur la folie et ses cantons» sur lequel Jacques Ferron besogna, après un séjour de 16 mois, en 1970 et 1971, comme omnipraticien à l'hopital psychiatrique Saint-Jean-de-Dieu. Il en rédigea, semble-t-il, deux versions, dont la seconde fut remise à son éditeur d'alors, Victor-Lévy Beaulieu. En septembre 1976, celui-ci annonça la parution, pour février 1977, de «l'œuvre essentielle de Jacques Ferron», un «roman» intitulé *Maski ou le Désarroi*. L'œuvre ne connut toutefois pas l'édition en librairie: *Maski, fils de Maski ou le Pas de Gamelin*, explique Ferron, «est un roman mal parti et confus auquel je n'ai pas travaillé depuis 1975. Je croyais pouvoir le reprendre et l'achever pour février, je n'y ai pas encore touché.» (Lettre de J. Ferron à P. Cantin, 22 juillet 1977).

Trois extraits de la seconde version parurent pourtant dans la presse périodique: la préface (ou du moins ce qui devait en tenir lieu), diffusée, du 2 septembre au 15 novembre 1975, dans l'*Information médicale et paramédicale* (*IMP*), sous le titre «Le Pavillon de chasse (en préface au *Pas de Gamelin*)», ainsi que deux chapitres: d'abord, celui que le quotidien *Le Devoir* offrit, le 26 octobre 1974, à ses lecteurs et à ses lectrices, «*l'artefact littéraire*, dans *Maski fils de Maski*», accompagné d'un court commentaire de présentation dans lequel Ferron précise qu'il s'agit d'un ouvrage portant «à la fois sur les maisons d'enfermement et sur la création littéraire» et tenant «tout autant du roman que de l'essai»; ensuite, celui que la revue *SEM*, publication éphémère de la Société des écrivains de Montréal, inséra dans sa première livraison (janvier-février 1975), extrait qu'une notule décrit comme le sixième chapitre d'un ouvrage à paraître, *Le Pas de Gamelin*. Intitulé «La Sorgne» (en fait, il aurait fallu écrire «La Sorgue», la nuit, en argot), ce chapitre présente longuement le cas de Céline, la mutique enfermée successivement, dès son adolescence, dans les deux institutions psychiatriques où œuvra Ferron.

À la fin de 1980, dans l'*Exécution de Maski*, Ferron avoue que «le Pas de Gamelin» n'aura été qu'«un gros manuscrit, [...] plein d'excès de langage et d'allusions insaisissables, un livre absolument impubliable...» Au même moment, l'écrivain réutilise ce titre pour une chronique constituée de vingt textes diffusés de mars à novembre 1981 dans *le Courrier médical*, périodique qui avait succédé à l'*Information médicale et paramédicale*, le 11 novembre 1980. C'est cette série que l'on retrouvera en substance ici et non l'ouvrage annoncé il y a plus d'une quinzaine d'années.

À l'exception de trois textes de cette série («14: Ceux qui se taisent», 1er septembre; «19: Les Grandes Dames», 10 novembre; «20: Un petit chapeau alpin», 24 novembre 1981), dont les propos rappellent les seize mois passés au Mont-Providence où il travailla de mai 1966 à novembre 1967, Ferron a donc emprunté, en les remaniant substantiellement, les textes suivants: «1: La Principauté abolie» (3 mars); «2: Capuchon blanc, capuchon noir» (17 mars); «3: Les Admonestations de Pierrette» (31 mars); «4: La Boîte du luthier» (14 avril); «5: Le Cénotaphe des Sœurs» (28 avril); «6: Un des rares regrets de ma vie» (12 mai); «7: Fatima ou la Lumière des profondeurs» (26 mai); «8: L'Exercice du pouvoir» (9 juin); «9: Les Hauteurs de Saint-Blaise» (23 juin), reprise, en substance, de l'historiette «L'Extraterritorialité» (*IMP*, 6 juin 1978); «10: Ta place est ici, Marie-Louise» (7 juillet); «11: L'Enfant né dans les champs», reprise de deux historiettes parues dans l'*IMP*, 16 janvier et 6 février 1979 (21 juillet); «12: La Débilité réciproque» (4 août); «13: Il s'appelait Évaque» (18 août); «15: Les Deux Mariette» (15 septembre); «16: L'Histoire de Mariette B» (29 septembre); «17: La Voix de Mariette» (13 octobre), «18: Le Putanat» (27 octobre).

Cette série pourrait être considérée comme un complément aux historiettes (sans oublier le chapitre onzième de l'*Amélanchier*) inspirées par les deux séjours du médecin en milieu psychiatrique et publiées dans l'*Information médicale et paramédicale*, d'octobre 1969 à février 1979, véritables pamphlets dénonçant de façon virulente la psychiatrie moderne et ses grands prêtres et que Jean-Marcel Paquette a réunies en partie dans le tome 2 des *Escarmouches* (Montréal, Leméac, 1975); elle rejoint également les propos de l'«Introduction» à la lettre incluse dans la première édition des *Roses sauvages*, ce «petit roman» publié en 1971.

NOTES

p. 23: «un nouveau docteur Bethune»: Norman Bethune (1890-1939), chirurgien et inventeur, connu pour son engagement politique, s'est illustré comme médecin sur les champs de bataille, d'abord en Espagne, lors de la guerre civile, puis en Chine, où il mourut et où il est devenu un héros national.

p. 33: «la Commission Bédard»: composée de Dominique Bédard, Denis Lazure et Charles-A. Roberts, et créée le 9 septembre 1961, à la suite de la parution du livre de Pagé, lancé le mois précédent, la «Commission d'étude des hôpitaux psychiatriques» remit son «Rapport» en mars 1962 au ministre de la Santé, Alphonse Couturier.

p. 46: «L'Institut Feller»: Ferron a raconté dans une historiette, «L'Extraterritorialité» (*IMP*, 6 juin 1978), ses expériences de médecin dans cet institut, «une sorte de séminaire de province», bâti en 1836 par des Suisses protestants. Grande-Ligne et Saint-Blaise sont deux petites localités aujourd'hui fusionnées à la ville de Saint-Jean-sur-Richelieu.

p. 59: «Charles Bovary»: L'époux d'Emma Bovary, l'héroïne du célèbre roman de Gustave Flaubert, *Madame Bovary*.

p. 62: «*Corridors de sécurité*»: L'ouvrage, sous-titré *Une année à Saint-Jean-de-Dieu*, a également paru au Québec, en 1974, aux Éditions de l'Étincelle.

p. 68: «l'illustre Professeur Gérard Bessette»: Professeur et écrivain, il a «fait dans la psychocritique». Dans son roman, *Le Semestre*, paru en 1979, il fait allusion, de façon sarcastique et volontairement répétitive, à un Écossais, Jack MacFerron, «pauvre toubib» enfermé à Saint-

Jean-de-Dieu: «Avant son internement, écrit Bessette, ce médecin avait inondé [...] le marché d'une série de romans indigestes.»

— «*La Guerre du feu*»: Ce «roman-jungle», paru en 1911, est l'œuvre de J.H. Rosny, pseudonyme commun de deux frères: Joseph-Henry Boex (1856-1940), dit Rosny Aîné, et Séraphin Justin Boex (1859-1948), dit Rosny Jeune. Ces deux écrivains d'origine belge sont maintenant perçus comme des précurseurs de la littérature de science-fiction.

— «une manière de super-Thériault»: Dans «la Folie d'écrire» (*IMP*, 16 septembre 1975), Ferron écrit de l'auteur d'*Agaguk* et d'*Ashini*: «Le cher Yves Thériault parlait comme il écrivait, en fabulant, tour à tour aveugle et cancéreux, n'en guérissant que mieux. Est-ce l'écriture qui l'avait rendu mythomane ou la mythomanie qui l'avait fait écrivain?»

— «l'Ordre de Jacques-Cartier»: Société secrète fondée en 1926 par Mgr François-Xavier Barrette pour donner aux Canadiens français une contrepartie à la franc-maçonnerie anglo-saxonne. Connue sous l'appellation volontairement floue de «La Patente», l'Ordre disparut vers 1965.

— «F.L.Q.»: Le Front de libération du Québec.

p. 80: «le vieux Paul Morin»: Poète dont l'œuvre fut reconnue par l'attribution du prix David en 1922, Morin (1889-1963) a été professeur de littérature, bibliothécaire, avocat, interprète; il correspondit effectivement avec la comtesse Anna de Noailles (1876-1933), poétesse de renom.

p. 90: «Louis-Georges Caron»: «mon grand-père maternel»: On trouvera moult détails sur les frasques de

Louis-Georges Caron, l'époux d'Eugénie Bellerose, qui, «après avoir abandonné ses études, s'établit à Saint-Alexis où il fut marchand général et fabricant de fuseaux», dans deux historiettes parues dans *l'IMP*, les 7 et 21 mars 1978: «Anamnèse» et «Le Chaînon qui manquait».

LE CHICHEMAYAIS

NOTICE

Le texte a paru originalement dans une traduction anglaise de Betty Bednarski, dans la revue *Ethos* (Vol. 1, No. 2, Autumn 1983), sous le titre «The Chichemayais».

NOTES

p. 96: «Ma mère était morte...»: Adrienne Caron meurt le 5 mars 1931, à l'âge de 32 ans. Ses sœurs Rose-Aimée et Irène étaient également décédées de la tuberculose; la première, le 14 janvier 1913, à l'âge de 17 ans, la seconde, le 1er décembre 1927. Adrienne avait dû faire quelqeus séjours à Lac-Édouard, dans «ce sanatorium du bout du monde auquel on n'avait accès que par le train du C.N. qu'on appelait le Grand Nord...»

p. 97: «un magoua!»: Terme péjoratif désignant les habitants confinés le plus souvent à un ghetto couramment appelé «le petit-village». Citoyens de second ordre, ces «infortunés, nombreux, faisaient des petits notables de Louiseville [et d'ailleurs] des manières de barons». Ferron évoque la condition de ces «sous-prolétaires agricoles» dans «la Créance» (*Les Confitures de coings et autres textes*) et dans «le Québec manichéen» (*Escarmouches*, t. 1).

Régis Brun a fait de ces citoyens l'objet d'un roman, *Le Mariecomo* (voir la note de la page 179).

p. 104: «BellemAre»: Le chapitre septième du récit *L'Amélanchier* fournit d'autres détails sur les origines de cette famille.

— «l'abbé Surprenant»: Apparaissant ici et là, depuis 1967, dans des historiettes et dans la superbe chronique romanesque, *Le Ciel de Québec*, cet ecclésiastique est une invention de Ferron.

LES TÊTES DE MORUE

NOTE

p. 110: «de Paspéïas»: les habitants de Paspébiac. Pierre-Georges Roy (dans *les Noms géographiques de la province de Québec*, Lévis, 1906) écrit, à l'entrée «Paspébiac»: «La population anglaise a altéré le mot Pasbébiac en Paspy Jack. Les Anglais qui habitent Paspébiac se nomment eux-mêmes Paspy Jacks. Leurs concitoyens canadiens-français, pour leur rendre la politesse, appellent Paspébiac Pospoillat et eux-mêmes Pospillats.» Selon Paul-Louis Martin et Gilles Rousseau (*La Gaspésie, de Miguasha à Percé*, Québec, Beauchemin/Éditeur officiel, 1978), on nommait «Paspeyas» (prononciation locale du terme Paspébiac) les premiers habitants de ce grand village.

LE GLAS DE LA QUASIMODO

NOTICE

On retrouve dans ce conte, paru originellement dans *Liberté* (mars-avril 1982), plusieurs scènes et personnages (Madame Théodora, Samuel, Marie) rencontrés ailleurs; détail intéressant: un passage du journal de l'auteur, tenu durant les années 1940, contient déjà le plan détaillé de ce texte.

NOTES

p. 113: «la maraîche»: Dans l'historiette «la Magonne et la maraîche» (*IMP*, 3 juin 1980), Ferron définit le premier terme comme étant «un frasil épais qui soude à leurs jointures les glaces dans le Golfe» et qui devient bientôt «l'une des sombres divinités de la mer, d'autant plus sombre qu'elle opère sous les dehors fulgurants de l'hiver». «À cette magonne aveugle, ajoute-t-il, correspond la maraîche, autre divinité cruelle de la mer, cette fois estivale, encore plus cachée» puisqu'elle n'existe que dans l'esprit du pêcheur. Les deux sont «un rappel du gouffre» et rendent compte «de la peur sourde qui ne cesse de se dégager de la mer». Une seconde historiette, «La Magone» [*sic*] (*IMP*, 2 octobre 1979), fournit également des détails sur ce terme. Dans sa «Nomenclature des noms de lieux dans la tradition» (chapitre deuxième de son essai, *Littérature orale en Gaspésie*, Montréal, Leméac, 1981), Carmen Roy signale que l'on a donné le nom de «Maraîche» à un rocher situé en face de Gascons. D'après elle, ce terme serait le «nom vulgaire d'un batracien bien connu en Gaspésie». Selon le *Trésor de la langue française*, l'adjectif «maraige» signifie «de mer».

— «Son nom ne le réjouissait pas»: En latin, le verbe *gaudere* signifie effectivement «se réjouir intérieurement, éprouver une joie intime»!

POLLON

NOTICE

Ce texte reprend en bonne partie et avec des remaniements l'historiette «Mister Nielsen» (*IMP*, 20 mai 1975).

NOTE

p. 145: «sénateur de la puissance»: Charles-Christophe Malhiot (1808-1874), médecin, seigneur de Point-du-Lac et, plus tard, de Verchères. Grand propriétaire terrien, il participa activement à la vie sociale et politique de son époque; il fut membre du Conseil législatif de la province du Canada et du Sénat canadien. Quant à la «meilleure poétesse des Ursulines de Trois-Rivières», il s'agit de la «vénérée Mère de Chantal», née Adèle Malhiot (1818-1881). Elle fut supérieure de son monastère de 1862 à 1868. Voir l'historiette «Le Nom de Chantal» (*IMP*, 21 octobre 1969).

LA DAME DE BOLOGNE

NOTICE

Reprise, avec quelques rares variantes, du texte paru dans *l'IMP* (1er janvier 1980).

L'ANGE DE LA MISÉRICORDE

NOTICE

Reprise, avec quelques variantes, de l'historiette parue dans *l'IMP* (5 février 1980).

NOTE

p. 153: «Victorin Germain»: Rédacteur, écrivain, administrateur, Germain (1890-1964) occupa, entre autres postes, celui du directeur du Service des adoptions à la Crèche de Québec. Ses œuvres lui valurent le prix David en 1923.

TAXI MIRON

NOTICE

Ce texte reprend, avec de nombreuses variantes, l'historiette «Un vieux taxi nommé Miron» (*l'IMP*, 2 septembre 1980).

NOTE

p. 157: «un bon coup de bâton sur la tête»: Allusion aux circonstances de l'arrestation de Ferron, le 29 mars 1949, alors qu'il se trouvait, en compagnie de Claude Gauvreau, sur les lieux d'une manifestation contre le Pacte de l'Atlantique nord. Il fut l'un des «douze communistes» qui comparurent en cour. Sa lettre, «Jean et Jacques Ferron, m.d.», datée du 31 mai 1949 (*Les Lettres aux journaux*), rappelle cet événement, relaté également dans le roman *La Nuit*, au chapitre 4.

MONSIEUR! AH MONSIEUR!

NOTICE

Ce texte reprend essentiellement la matière de trois historiettes parues dans *l'IMP*, en 1975: «La P'tite Marie (17 juin), «Pierre Baillargeon» (1er juillet) et «Le Baron Œdipe» (15 juillet).

LA CHATTE JAUNE

NOTICE

Reprise, avec très peu de variantes, de l'historiette parue dans *l'IMP* (19 août 1980).

LE NIGOG ET LA DERNIÈRE CARPE

NOTICE

Ce texte reprend en substance le propos de trois historiettes parues en 1979 dans *l'IMP*: «Un frissont dévo-
rant» (17 juillet), «Les Maux qui se déplacent» (7 août) et
«Le Nigog et sa dernière carpe» (21 août).

NOTES

p. 179: «son compère Régis Brun»: allusion à l'écrivain et historien acadien du même nom, auteur de *la
Mariecomo* (Montréal, Éditions du Jour, 1974), une chronique romanesque située au Vieux-Cap, une espèce de
ghetto où se regroupent des «déportés de l'intérieur», des
exploités dont les conditions de vie sont pratiquement celles des magouas.

— «une chaloupe verchères»: on fabrique encore, de
façon artisanale, à Verchères, ces grandes chaloupes de
bois à fond plat.

p. 181: «le nigog»: Le nom de ce harpon «fait d'un
seul dard à barbes», précise Louis-Alexandre Bélisle, dans
son *Dictionnaire de la langue française au Canada*, a été
emprunté à la langue amérindienne.

LA PETITE CARMÉLITE

NOTICE

Ce texte reprend, profondément remaniée, l'historiette parue sous le titre «Tout donner, c'est métier de mère» (*l'IMP*, 2 mai 1978).

LE CAQUET ET LES GOUTTES DE SANG

NOTICE

Le texte est une reprise, beaucoup remaniée, de l'historiette publiée dans *l'IMP* (3 juin 1975). L'auteur avait puisé dans l'hebdomadaire *Allô police* les rêves commentés ici.

ADACANABRAN

NOTES

p. 201: «Papa Boss»: Dieu matérialiste qu'idolâtre l'*homo consumens* (le terme est d'Erich Fromm). Ferron stipule que le «sang trinitaire» de ce dieu de la consommation «est formé de [...] trois boissons: Coca-Cola, Pepsi et Kik...» («Coke-pep-kik», *Escarmouches*, t. 1).

p. 209: «A.M.D.G.»: *Ad majorem Dei gloriam.*

— «*Quid mihi*»: Traduction libre: «Que m'importe!»

p. 212: «de Thomas Diafoirus et de son dernier avatar, le docteur Knock»: Le premier est le jeune médecin, benêt et ridicule, de la pièce de Molière, *Le Malade imaginaire*; le second est le personnage principal de la pièce de Jules Romains, *Knock ou le Triomphe de la médecine*. Pour Knock, «les gens bien portants sont des malades qui s'ignorent».

p. 213: «à Saint-Marc»: Ferron y demeura de mai 1975 à septembre 1979.

LES DEUX LYS

NOTE

p. 221: «au sénateur Legris»: Joseph-Hormidas Legris (1850-1932) fut député libéral à Québec et à Ottawa, avant d'être nommé sénateur, le 10 février 1903.

Table

CET OUVRAGE
COMPOSÉ EN SOUVENIR RÉGULIER CORPS 12 SUR 14
A ÉTÉ ACHEVÉ D'IMPRIMER
LE CINQ MAI MIL NEUF CENT QUATRE-VINGT-SEPT
PAR LES TRAVAILLEUSES ET TRAVAILLEURS
DES PRESSES DE L'IMPRIMERIE MARQUIS
À MONTMAGNY
POUR LE COMPTE DE
VLB ÉDITEUR.

IMPRIMÉ AU QUÉBEC (CANADA)